Controladoria
Internacional

MARCOS R. S. PETERS

Controladoria Internacional

Incluindo Sarbanes Oxley Act e USGAAP

MARCOS R. S. PETERS

Controladoria Internacional

Copyright © DVS Editora 2004

Todos os direitos para a língua portuguesa reservados pela editora.

Nenhuma parte dessa publicação poderá ser reproduzida, guardada pelo sistema "retrieval" ou transmitida de qualquer modo ou por qualquer outro meio, seja este eletrônico, mecânico, de fotocópia, de gravação, ou outros, sem prévia autorização, por escrito, da editora.

Revisão: Mônica de Aguiar Rocha
Produção Gráfica, Diagramação: ERJ Composição Editorial e Artes Gráficas Ltda
Design da Capa: SPAZIO
ISBN: 85-88329-11-5
Correspondência com o autor: marcospeters@terra.com.br

Dados Internacionais de Catalogação na Pubicação (CIP)
(Câmara Brasileira do Livro, SP, Brasil)

```
Peters, Marcos R. S.
   Controladoria internacional : incluindo Sarbanes
Oxley Act e USGAAP / Marcos R. S. Peters. -- São Paulo
: DVS Editora, 2004.

Bibliografia.

   1. Contabilidade   2. Controladoria   3. Empresas -
Finanças    I. Título.


04-7019                                        CDD-658.151
```

Índices para catálogo sistemático:

1. Controladoria internacional : Empresas : Administração financeira   658.151

Sobre o Autor

Marcos Peters é graduado em Ciências Contábeis pela Faculdade de Economia, Administração e Contabilidade da Universidade de São Paulo, bem como é mestre e doutor pela mesma instituição.

Ele ensina, como Professor Titular, no programa de graduação em Administração de Empresas da FAAP; leciona Contabilidade Empresarial na Faculdade de Direito, também da FAAP; e é professor coordenador do programa de Mestrado em Administração da Unimonte.

Peters participa como pesquisador do Laboratório de Tecnologia e Sistemas de Informação da FIPECAFI – TECSI.

Lecionou Contabilidade Internacional e Planejamento e Controle Empresarial em diversos cursos de pós-graduação *Lato Sensu* de instituições importantes na área Contábil e Financeira como FIA, FIPECAFI, IBMEC, GV/PEC (EAESP/FGV) e COGEAE/PUCSP. Lecionou Controladoria Estratégica e Sistemas de Informação no programa *strictu sensu* de mestrado da FECAP.

Publicou diversos artigos acadêmicos em revistas e congressos especializados e é palestrante de renome nos temas Contabilidade Internacional, USGAAP e Sarbanes Oxley Act.

Dr. Peters elaborou e coordena cursos de pós-graduação na FAAP nas áreas de Planejamento e Controle Empresarial, Controladoria e Financeira.

É parecerista respeitado na área contábil, especialmente em USGAAP, IFRS e Sarbanes Oxley Act.

Marcos Peters é um ativo profissional da Contabilidade, tendo atuado durante muitos anos em empresas nacionais e multinacionais como *controller* e fundado um Escritório de Contabilidade, além de ser dedicado militante do treinamento empresarial como empresário e facilitador.

É membro do Ibef – Instituto Brasileiro de Executivos Financeiros.

Dedicatória

Para meus pais, *in memoriam*, pela educação, encorajamento, suporte e amor.

Para minha família, por tudo que são e significam para mim.

Apresentação

É para mim uma honra ímpar apresentar o livro Controladoria Internacional do renomado professor Marcos Peters.

Eu, que vi o embrião deste livro nascer já há quase vinte anos, sabia que haveríamos de receber algo importante para a Controladoria da lavra do professor Marcos Peters.

O autor, com visão sistêmica e sensibilidade humana, aborda os problemas e soluções de Controle em que as entidades econômicas do mundo atual vêem-se mergulhadas, com maestria e uma visão pragmática essencial aos profissionais que militam nessas entidades.

Não descuida, porém, do rigor científico que deve regular obras deste quilate.

Da experiência de mais de vinte anos nas lides da Controladoria e do simultâneo estudo exemplar, somos brindados com uma obra simples em seu formato, rica em seu conteúdo.

O professor Marcos Peters é um homem de seu tempo, escrevendo para contemporâneos, tornando este livro leitura obrigatória a todos aqueles estudantes ou profissionais brasileiros que queiram competir no mercado de trabalho na área financeira, contábil e de controladoria em empresas de classe mundial ou a elas vinculadas.

Boa leitura, amigo.

PAULEN JARAGUÁ
Setembro 2004

Prefácio

Este livro nasceu da pesquisa e aplicação em cursos de Finanças Empresariais, Contabilidade Internacional e Controladoria de Multinacionais em diversos níveis – graduação e pós-graduação (especialização, MBAs, extensão universitária e mestrados acadêmicos) e da necessidade de haver um texto didático que acompanhasse esses cursos.

É fruto também do trabalho ativo do autor em empresas, nas áreas de controladoria e finanças, como executivo e consultor.

A Controladoria é uma atividade típica em empresas norte-americanas.

É no mercado norte-americano que ela modernamente desenvolveu-se, e está alicerçada no Mercado de Capitais competitivo e ativo, em que a Teoria do Agenciamento (*Agency Theory*) embute a necessidade do *Accountabilty* (prestação de contas objetiva em virtude de um poder/capital delegado) sistêmico.

Nesse ambiente podemos afirmar que a Teoria da Controladoria baseia-se na Teoria Geral dos Sistemas, na Teoria do Agenciamento, na Teoria da Contabilidade, na Tecnologia da Informação e no Mercado de Capitais, além de parecer óbvio que a Teoria da Controladoria está embutida no conceito de gestão empresarial, pois faz-se presente nos modelos empresariais modernos.

Assim como nas diversas tecnologias de gestão, o desenvolvimento da Controladoria veio da observação científica de práticas mais bem-sucedidas (*best practices*) que formaram um arcabouço teórico, sustentáculo de modelos científicos de controle econômico financeiro de gestão e resultados.

Os negócios internacionais existem há muito tempo. No entanto, no início do terceiro milênio, com o apoio das novas tecnologias de informação, eles tomaram formato dinâmico e velocidade sem precedentes.

A tecnologia da informação, que envolve as redes de comunicações, *hardware* e *software*, permitiu que a produção de bens e serviços, a comunicação e os negócios envolvendo o mundo todo, sejam executados rapidamente.

Essa acelerada internacionalização dos negócios significa que todos os aspectos das funções empresariais precisam ser vistos de maneira sistêmica, ou seja, de maneira integrada e global.

A Contabilidade como função primordial de controle empresarial e, portanto da Controladoria, é um dos aspectos que necessitam serem vistos internacionalmente.

Entender a Contabilidade praticada em apenas um país não satisfaz os requisitos de controle das corporações atuando em vários países.

A Controladoria, vista como função integrativa que se ocupa da comunicação econômica em seu conteúdo e formato, vem sentindo o impacto deste ambiente volátil integrado.

Muitos autores nacionais, entre eles, Catelli e Guerreiro, e Peters e Riccio, e estrangeiros, como Kaplan e Atkinsons, Anthony, Horgren, e Welsch, ocuparam-se em definir a função Controladoria no que tange à confecção e administração de um sistema de informação econômica necessário à gestão empresarial.

É de perceber, no entanto, que a função Controladoria de gestora do sistema de comunicação da economia da empresa aos agentes externos da entidade não possui muitos trabalhos desenvolvidos em língua portuguesa.

Neste livro, partindo-se do enfoque sistêmico, visualizamos dois principais pilares da Controladoria: a) a função de executora do princípio de Prestação de Contas (*Accountability*), por meio do Sistema de Informação Contábil e de executora técnica das exigências fiscais embutidas nas obrigações acessórias tributárias; e b) a função de apoio à Gestão Econômica de Entidade, por muitos conceituada como Contabilidade Gerencial (*Management Accounting*).

Ambos os pilares dependem dos paradigmas exarados pela Teoria do Agenciamento e estão implícitos na Governança Corporativa.

A Figura 1 dá uma noção geral desses pilares da Controladoria.

Função de Disclosure Empresarial:		Função De Monitoramento Econômico da Entidade e Apoio à Decisão:
• *Accountability* Societário (PCGA, IFRS, USGAAP) • Fiscal/Tributário: Obrigações Fiscais e Legais Acessórias **FERRAMENTAL TEÓRICO ORIUNDO DA CONTABILIDADE SOCIETÁRIA**	Os Dois Aspectos da Controladoria na Efetivação da Governança Corporativa	• Métricas e Indicadores Econômicos Estratégicos e Operacionais • Custos e Orçamentos **FERRAMENTAL TEÓRICO ORIUNDO DA CONTABILIDADE GERENCIAL**

Figura 1   Governança Corporativa e a Função Controladoria.

OBJETIVOS

Este livro foi desenhado para dar ao leitor uma apreciação geral das práticas de Controladoria mais consagradas no ambiente internacional.

A base da Controladoria está na prática empresarial norte-americana e seu mercado de capitais.

Por conseguinte, estende-se a Teoria Geral da Controladoria ao detalhamento dos assim chamados Princípios Contábeis Geralmente Aceitos – (PCGA), do inglês *Generally Accepted Accounting Principles* (GAAP), que são a base do processamento do Sistema de Informação Contábil e das ferramentas de controle econômico financeiro consagradas.

A Controladoria é baseada em padrões, pois esses adicionam valor à informação no sentido de darem a ela uma maior velocidade de compreensão por parte do usuário.

É do entendimento dos conceitos, padrões e práticas contábeis e de controle econômico financeiro que se forma a estrutura da Controladoria; a eles é adicionado o conceito de gestão econômica ampla, incluindo a visão e planejamento estratégico das entidades.

Não se detalhará neste livro os seguintes assuntos relacionados à função Controladoria: Métricas Monetárias e Não Monetárias, Custos e Orçamentos e Evidenciação Fiscal.

Neste livro desenvolveram-se os conceitos da chamada Contabilidade Internacional para dar suporte contábil ao delineamento da Controladoria Corporativa.

Público-Alvo

O livro foi elaborado pensando-se no público que necessita de um texto conceitual para desenvolver melhor seu trabalho nas empresas que competem em escala global.

Pode ser utilizado nos últimos anos de cursos de graduação em Administração de Empresas, Contabilidade ou Economia para alunos que já possuam fluência em Contabilidade Básica, Sistemas de Informação e Estratégia Empresarial.

No entanto, é indicado principalmente a estudantes de cursos de pós-graduação em Gestão Empresarial e a eles correlacionados e a todos que se interessem, seja acadêmica ou profissionalmente, em posicionar seu trabalho na função Controladoria em um nível internacional.

A Filosofia do Livro

Entendemos que o desenvolvimento das organizações tem um de seus pilares no controle e entendimento delas, especialmente no aspecto econômico.

A Controladoria é a única disciplina que dá condições desse controle e entendimento econômico de maneira objetiva.

Portanto, é na elaboração de idéias e maneiras de aplicá-las em relação à Controladoria que poderemos obter um desenvolvimento mais justo e otimizado da economia.

Buscamos contribuir nesse sentido.

Agradecimentos

Por não sermos criadores do conhecimento, mas agregadores de conhecimento, a produção desta edição pressupõe minha gratidão:

à Maria Christina, Mariana Augusta e Marcia, por serem o que são;

ao Profº Edson Luiz Riccio, mentor intelectual e pessoa simples, como a sabedoria;

aos professores Almir, Savóia e Securato, amigos;

aos professores Nelson Carvalho e Iran Siqueira Lima, por permitirem que eu ingressasse nos estudos de Doutoramento;

à Profª Nena Gerusa, pessoa boa, sincera, caridosa, carinhosa e firme, como todos aqueles que tem algo a ensinar;

aos professores Sérgio de Iudícibus e Eliseu Martins, autores inspiradores;

a meu pai, por, entre outras coisas, ser meu primeiro e mais competente Professor de Contabilidade;

à minha mãe, pela formação sem medidas de sacrifício;

ao Profº Fábio Gallo, que me deu muitas chances acadêmicas;

aos professores Antonio, Edgar, Francisco, Gil, Ivam, Parisi e Pereira, respeitados colegas de profissão;

aos amigos, professores Clayton e Rogério Luiz;

à srta. Ana, colaboradora diligente, competente, bonita e inteligente;

ao Profº Áureo Marinheiro, amigo, com quem efetuo pesquisas em assuntos relacionados a custos;

aos alunos da FAAP, graduação e pós.

aos alunos do curso de mestrado acadêmico da Unimonte;

às centenas de estudantes que me motivam constantemente no aprimoramento de minhas aulas;

à minha família, pelo suporte, amor e compreensão o tempo todo;

a você leitor, pela confiança ao dispor-se a ler este livro;

à vida, escola; e

a Deus, Professor Maior.

Agradeço a todos com um ressonante muito obrigado.

A busca pela perfeição em nossas obras nos aproxima de Deus, porém é evidente que as falhas neste livro são de minha inteira responsabilidade.

Críticas e sugestões são bem-vindas através do e-mail marcospeters@terra.com.br

Marcos Peters
São Paulo, Setembro 2004

Sumário

Capítulo 1 - Introdução 1
   Colaboração entre Academia e Empresa 3
   A Função da Controladoria 3

Capítulo 2 - Elementos de Controladoria 7
   Objetivos da Contabilidade 7
   Mensuração e a Natureza da Informação Contábil 9
   Mensuração Econômica 11
   Objetivos dos Sistemas Contábeis 12
   Planejamento e Controle de Resultados 13
   Métricas de Avaliação e o Custo de Oportunidade 14

Capítulo 3 - Introdução à Contabilidade Internacional 21
   O Ambiente Econômico Internacional e a Regulamentação Contábil . 23
   A Necessidade de Padrões Contábeis 25
   SEC e FASB 26
   Modelo Conceitual 29
   IFRS a Contabilidade Internacional e o Iasb 30

Capítulo 4 - Sarbanes Oxley Act 33
   A Necessidade de Fidúcia no Reporte Financeiro 33
   Elementos de Regulamentação Norte-americana sobre
      Controle Interno 34
   A Lei Sarbanes Oxley 37

Capítulo 5 – USGAAP 43

USGAAP *versus* BRGAAP 43

Principais Diferenças entre os Critérios e Divulgações Contábeis Brasileiros e Norte-americanos 46

USGAAP – SFAS 13 – *Accounting for Leases* 50

SFAS 34 – Capitalização de Juros 52

USGAAP – Conversão de Demonstrações Financeiras – SFAS52 52

Método da Taxa Corrente 53

Critério Monetário e Não Monetário 54

Método Temporal 54

Moeda Funcional 54

Moeda de Relatório 54

USGAAP – SFAS 87/88 e 106 – *Pensions and Other Postretirement Benefits* 55

USGAAP – *Statement of Cash Flows* (SCF) – SFAS 95 57

USGAAP – FASB – *Statement 109* – Contabilização do Imposto de Renda 63

USGAAP – FASB – *Statement 115* – Contabilização de Certos Investimentos em Títulos ou Valores Mobiliários 69

USGAAP – FASB – *Statement 133* – Contabilização de Instrumentos Financeiros Derivativos 70

USGAAP – FASB – *Statement 141* – Contabilização de Combinações de Negócios 71

USGAAP – FASB – *Statement 142* – *Goodwill* e Outros Ativos Intangíveis 72

USGAAP – FASB – *Statement 143* – *Accounting for Asset Retirement Obligations* 73

USGAAP – FASB – *Statement 144* – *Impairment of Disposal of Long Lived Assets* 73

Formulários da SEC 74

Exemplo de Caso Abrangente Sobre Ajustes USGAAP e Conversão (*Translation*) de Demonstrações Financeiras 79

Referências 89

CAPÍTULO 1

Introdução

Buscamos, neste livro, trazer um modelo de Controladoria que, suportado por pesquisa acadêmica, seja mentor de aplicações empresariais frutíferas, utilizando a aplicação de técnicas de formulação de informações e conhecimento.

Em Controladoria, os modelos científicos somente se justificam mediante sua utilidade prática. É na capacidade que um modelo tem de permitir o entendimento e encaminhamento de solução de problemas concretos que reside seu valor.

O controle, como atividade humana essencial, certamente existe desde que o ser humano colocou-se de pé. Controlar é a base da aquisição de conhecimento. É por meio do controle e sua análise inerente que confeccionamos nossas leis de causa e efeito, paradigma do pensamento racional.

Vemos que, na sociedade do conhecimento, a Controladoria é função central do aprendizado organizacional e seus componentes.

A Controladoria, como atividade empresarial, vem sendo praticada a séculos. Porém a confecção de modelos de Controladoria como conhecemos hoje deu-se a partir do século passado, no ambiente empresarial norte-americano.

A gênese da função Controladoria moderna deu-se na Inglaterra com a instituição da função do *comptroller*, profissional afeto ao *accountability* público.

Tendo em vista o alcance dos objetivos de uma sociedade empresarial, a informação revela-se como um meio necessário a esse alcance.

A informação, entre outros atributos, resulta da adequação de três vetores principais: a *mensuração* (e as técnicas envolvidas na sua aplicação), a *comunicação* adequada e os *objetivos do usuário da informação*.

Pela utilização da Tecnologia de Informação, a Controladoria efetua um papel importante no desenvolvimento econômico dos negócios.

A Controladoria, como disciplina holística e sistêmica, enfoca o meio empresarial de maneira integrada, por intermédio do controle e monitoramento das atividades controláveis e não controláveis pelos gestores; essas últimas sendo, portanto, atividades apenas monitoráveis.

O *gestor*, conforme a Teoria Administrativa do Agente, é responsável pelo sucesso da sociedade empresarial, ou parte dessa sociedade (unidade de negócio ou área de responsabilidade). Tal sucesso depende da dimensão econômica das atividades desenvolvidas pela sociedade e pelos agentes econômicos que interagem com essa sociedade.

O *controller* é uma figura essencial na responsabilidade econômica do gestor, ao dar condições efetivas de gerenciamento e monitoramento econômico da sociedade, e nas ações – internas ou externas a ela – que afetam o status econômico desta sociedade.

A Controladoria enfoca a mensuração, análise, comunicação e discussão da visão do mercado e do negócio, e das ações do mercado e do negócio que afetam, hoje ou futuramente, o *status* econômico do negócio.

A literatura especializada tem classificado a avaliação de desempenho e de resultado econômico como escopo da Controladoria, e ido além, classificando a técnica contábil em Contabilidade Geral – ou Financeira – e Contabilidade Gerencial; a primeira é responsável pela revelação (*disclosure*) externa ao negócio, e a última, pelo apoio informativo ao gestor. A Contabilidade é o sistema informacional-base da Controladoria.

A Controladoria excede a simples tentativa de fornecer dados que possam ser informações, mas envolve-se e compromete-se na gestão econômica, sendo solidária no resultado alcançado pela sociedade empresarial.

COLABORAÇÃO ENTRE ACADEMIA E EMPRESA

A *academia*, em sua função de pesquisa e divulgação de conhecimento é catalisadora do desenvolvimento de pessoas.

Esse desenvolvimento dá-se de duas maneiras primárias: o amadurecimento da experiência pessoal de cada indivíduo, e o seu fortalecimento técnico.

A empresa como meio essencial do desenvolvimento econômico de nossa sociedade é foco principal da academia voltada à Administração de Empresas. A parceria, entre *academia* e *empresa* é essencial ao desenvolvimento de profissionais que possam colaborar de maneira decisiva para que as organizações cumpram seu papel econômico com eficácia.

A Controladoria, pois, desenvolve-se acadêmica e empresarialmente na realidade das entidades. Buscamos, portanto, sempre testar empiricamente os modelos desenvolvidos pela observação e experiência vivida nas empresas. A função da Controladoria tem sua justificativa na melhor prática de controle e planejamento empresarial.

A FUNÇÃO DA CONTROLADORIA

A função Controladoria é avó da Ciência Econômica Capitalista e bisavó da Administração Científica.

Quando Adam Smith estabeleceu os rudimentos do Liberalismo Econômico, já há três séculos os contadores aconselhavam os banqueiros venezianos, a nobreza européia e os mercadores aventureiros, no controle econômico de seus empreendimentos.

Quando Taylor e outros pais da Administração Moderna, no final do século XIX estabeleciam os princípios norteadores da gestão empresarial, a Controladoria iniciava seu quinto século de serviços prestados à sociedade em geral e aos empreendedores especificamente.

E por que isso? Porque a prática empresarial sempre exigiu o controle econômico e operacional como fator de sucesso, independentemente do meio econômico em que atua.

O Controle econômico, seja ele do resultado econômico do empreendimento, seja do desempenho econômico de gestores, é essencial à alocação eficaz dos recursos em nossa sociedade.

Tem assim, o *controller*, papel de responsabilidade no processo de gestão econômica de recursos. O *controller* deve, portanto, perceber e assumir com competência profissional sua importância na assessoria econômica empresarial.

O papel do *controller* distribui-se basicamente em dois aspectos:

- **Ética profissional** – conduzir-se de maneira adequada ao seu ofício e à sociedade que nele confia.
- **Qualificação técnica** – ter a competência adequada às responsabilidades que se propõe a assumir.

Esses dois componentes devem ser sempre objeto de reciclagem contínua para que os profissionais não falhem em sua missão.

Por outro lado, a globalização e a competição intensiva, com altos capitais investidos e margens reduzidas em relação a tempos passados, são fatores que nos remetem a um requisito básico: a *competência empresarial*. Essa, por sua vez, implica que se estabeleçam estratégias corretas.

Uma prerrogativa já testada ao longo da experiência humana é que não se tem sucesso consistente e duradouro com estratégias baseadas em recursos humanos desqualificados.

Aqui nasce o ponto básico da missão do *controller*: mapear, permanentemente, os fatores de risco do empreendimento. Assim, se no exercício desse mapeamento detectar que há falhas no processo que impliquem risco relevante, deve estudar o processo sob dois prismas:

1. *Mudanças operacionais* que erradiquem ou deixem sob controle o fator de risco, como, por exemplo, código do consumidor e terceirização de serviços: o que fazer para controlar os serviços

terceirizados que poderão acarretar em risco para o empreendimento; outro exemplo é o planejamento tributário, com vista à economia fiscal e à eliminação de contingências fiscais.

2. *Treinamento e qualificação de mão de obra*: se, ao mapear, o *controller* notar que o fator de risco é humano, deve propor alternativas de exercício do trabalho que minimizem esse risco; essas alternativas podem passar por um treinamento adequado dos profissionais envolvidos no processo operacional ou por uma rotatividade funcional.

Outro aspecto importante da Controladoria é o permanente *benchmark* de práticas operacionais. O *controller* deve estar sempre ocupado em sistematicamente comparar, discutir e informar aos gestores as melhores maneiras de condução dos negócios para consecução dos objetivos da entidade. Isso exige atualização constante.

Capítulo 2

Elementos de Controladoria

OBJETIVOS DA CONTABILIDADE

A Contabilidade busca, probabilisticamente, minorar o grau de incerteza em relação à tomada de decisões, por meio de um sistema informacional que dá qualidade racional à tomada de decisão.

Nesse aspecto, Edwards e Bell (1973), consagrados autores, já há mais de trinta anos observavam que:

> [...] a responsabilidade crucial de gestão em uma economia dinâmica é a tomada de decisões em face da incerteza.
>
> [...] Decisões, por definição, dizem respeito a ações futuras.
>
> [...] Lucro como um objetivo da firma (lucro econômico) é consequentemente futuro e antecipado – futuro relativo ao tempo da decisão, antecipado porque senão não poderia ser objeto de decisão.

O professor Iudícibus (1987), também consagrado autor, e já há mais de quinze anos entende que:

> [...] o estabelecimento dos objetivos da Contabilidade pode ser feito na base de duas abordagens distintas: ou consideramos que o objetivo da Contabilidade é fornecer aos usuários, independentemente de sua natureza, um conjunto básico de informações que, presumivelmente, deve-

ria atender igualmente bem a todos os tipos de usuários, ou a Contabilidade deveria ser capaz e responsável pela apresentação de cadastros de informações totalmente diferenciados, para cada tipo de usuário. [...] Nosso ponto de vista diferencia-se dos dois extremos e repousa mais na construção de um "arquivo básico de informação contábil", que possa ser utilizado, de forma flexível, por vários tipos de usuários, cada um com ênfases diferentes neste ou naquele tipo de informação, neste ou naquele princípio de avaliação, porém extraídos todos os informes do arquivo básico ou "data-base" estabelecido pela Contabilidade.

O professor Franco (1988) afirmava que: "O fim a que se destina a Contabilidade é o de satisfazer as necessidades de informação dos usuários das demonstrações contábeis".

A Teoria Contábil é evolutiva e caminha rumo a modelos aperfeiçoados de sistema de informações econômicas que atendam aos diversos usuários da informação contábil.

Welsch e Short (1987) estabelecem que: "A Contabilidade pode ser definida como a compilação de dados financeiros acêrca de uma organização e a análise, mensuração, registro e reporte desta informação para tomadores de decisão".

A Contabilidade compila, mede, interpreta e reporta informação econômica das mesmas atividades focadas pela Economia.

A mensuração monetária dos efeitos econômicos das transações de troca é função principal da atividade contábil, porém não é somente nessa dimensão de mensuração e informação que a Contabilidade contribui ao desenvolvimento dos negócios indiretamente e à tomada de decisão diretamente.

A Contabilidade tem a missão também de informar aspectos econômicos por meio de dados não monetários.

A Contabilidade deve utilizar plenamente as dimensões da informação econômica, ou seja, não apenas a dimensão de valor monetário.

Mas não é apenas na Contabilidade Gerencial em que os valores não monetários são úteis para a confecção da informação plena, a Contabilidade Financeira ou Societária também deve observar os aspectos não monetários para melhor informar.

A informação contábil é rica, incluindo não apenas valores monetários, mas outros aspectos econômicos das operações empresariais.

Depreendemos, portanto, que a informação necessária à consecução dos objetivos da Contabilidade é ampla, apesar de seletiva e multifacetada, em virtude de bem atender à variedade de seus usuários. Essas informações incluem aspectos monetários, além de mensurações operacionais e físicas de processos, tecnológicas e estratégicas (fornecedores, clientes, competidores, investidores etc.).

A Contabilidade utiliza-se de um banco de dados transacionais para formular relatórios – Demonstrações Financeiras – que busquem atender às necessidades de informação de seus usuários.

Na Estrutura Conceitual Básica da Contabilidade, proposta pelo Ibracon e aprovada pela CVM (1986), temos que:

A Contabilidade é, objetivamente, um Sistema de Informação e Avaliação destinado a prover seus usuários com demonstrações e análises de natureza econômica, financeira, física e de produtividade, com relação à entidade objeto de contabilização.

Mensuração e a Natureza da Informação Contábil

O problema da mensuração contábil parece concentrar-se em importância no modelo do objeto de mensuração.

A disputa entre escolas contábeis tem sido vista modernamente como resultante de premissas diferentes, porém não excludentes, em termos de validade para fins dos objetivos da ciência contábil.

O modelo do objeto de mensuração e o de quem irá utilizar a medição é irrelevante para a ciência pura.

Já, para a Contabilidade, ciência social aplicada, o modelo de quem irá utilizar a informação contábil – mensuração analisada – é essencial, pois a ciência aplicada justifica-se pelo benefício (utilidade) que traz, de forma direta ou indireta, a quem a aplica e para quem ela é aplicada.

Ao estudarmos o aspecto de mensuração da ciência contábil, devemos observar os ensinamentos de Iudícibus (1997):

O que, de fato, mensuramos em Contabilidade?

Sabe-se que Contabilidade, em seu aspecto de mensuração, é um sistema relacional, tipo espelho.

Os números que, afinal, são associados a ativos, passivos, receitas, despesas, perdas, ganhos e ao patrimônio líquido expressam uma representação da realidade e não a própria realidade dos elementos avaliados. Quando "atribuímos" a um veículo de propriedade de uma entidade um "valor" (em seu sentido genérico por enquanto), estamos apenas apresentando uma parte de sua essência, qual seja a dimensão monetária. Sem embargo da importância desta dimensão, ela não nos diz uma série de coisas importantes sobre o "ser" em si: modelo, potência, velocidade, durabilidade, capacidade de serviço, aspectos estéticos etc. É claro que, se compararmos com outros veículos, através de suas faixas de preços, poderemos inferir algumas outras características. Por exemplo, veículos novos na faixa de preço entre "x" e "v" reais têm algumas características de funcionalidade, operacionalidade e estética diferentes das dos veículos entre "z" e "w" reais. Mas ainda assim, o valor atribuído a um único elemento traduz poucas características do ser. É claro que a mensuração monetária é o último estágio, o que aparece nas demonstrações. Em cadastro básico mais amplo, nada impede que se delineiem outras características do ativo, mas estas ficam "escondidas" do usuário.

> [...] Mais importante, em toda a discussão, é que o contador, bem ou mal, conservadoramente ou agressivamente, numa fase outra da evolução histórica, conforme se trate de contabilidade financeira ou gerencial, tem a coragem de atribuir mensuração aos elementos do ativo, passivo e PL, bem como aos fluxos, de renda e de caixa. É sem dúvida, a profissão mais arrojada, pois pretende traduzir em demonstrações contábeis, em números, notas explicativas e poucas evidenciações outras, uma realidade tão complexa quanto a da entidade. Por isto é tão criticada, pois não consegue agradar nem aos tradicionalistas, muito menos aos que desejariam que o balanço retratasse o "valor" da entidade na data, algo que um eventual comprador consideraria, se quisesse adquiri-la.

[...] A Contabilidade supre necessidades básicas informacionais como:

a) ser base para avaliação de desempenho de entidades, setores da entidade e gerentes, para períodos encerrados, e
b) servir de base para tomada de decisões no futuro.

Estabelece assim, o mestre Iudícibus, bases da mensuração e informação contábil, que deve atender proporções grandes das necessidades de informação dos gestores e todos os públicos interessados na entidade.

Riccio (1989) conclui que:

[...] apesar de ter ainda como principal característica a mensuração monetária, o Sistema de Informação Contábil deve fornecer informações não monetárias a todos os usuários que delas necessitem.

Mensuração Econômica

As empresas, no processo competitivo, tendem a, além do processo de inovação tecnológica, copiar ou se inspirar umas nas outras.

Isso leva ao desenvolvimento de técnicas administrativas, como, por exemplo, o *benchmarking*, que indica, por meio de semelhança, processos produtivos otimizados que servem de base para comparação e inspiram mudanças processuais.

O ponto estratégico empresarial, agregação de valor aos *stakeholders* (agentes econômicos com interesse na entidade), supõe a diferenciação como a própria razão de ser das empresas, pois, quando iguais, fabricando produtos ou gerando serviços assemelhados por meio de sistemas produtivos parecidos, com apoio tecnológico e logístico também semelhantes, as empresas tendem a disputar o mercado unicamente mediante preços baixos, o que acarreta um estrangulamento de margens e, por conseguinte, de valor do empreendimento, podendo levar à inviabilidade econômica.

Portanto, com a diferenciação de produtos, processos, tecnologia de informação e logística, é que a empresa poderá efetivamente agregar valor à sociedade e ao cliente especificamente e, então, almejar obter resultados positivos relevantes.

Como conseqüência desse raciocínio, aplicado à mensuração econômica, significa dizer que as empresas devem ter estruturas de custos e preços diferenciadas entre elas, e não iguais.

Daí resulta um diferencial competitivo que a Controladoria pode oferecer às empresas, ao criar, implantar e gerir sistemas de custeio e apuração de rentabilidade adaptados à realidade do conhecimento de cada entidade.

OBJETIVOS DOS SISTEMAS CONTÁBEIS

O sistema contábil é o principal e o mais tradicional sistema de informação econômica em quase todas as organizações.

Ele deve fornecer informações para atender aos seguintes objetivos:

a) Planejamento econômico

   Aborda o orçamento monetário de planos operacionais e de negócios.

b) Análise de rentabilidade de produtos

   Aborda a confecção de preços e sua análise do ponto de vista da rentabilidade.

c) Controle de custos

   Aborda relatórios de objetos de custo.

d) Avaliação de gestão

   Aborda a avaliação de resultado obtido pelos profissionais envolvidos, normalmente gestores como alvo principal. Envolve medidas monetárias e não monetárias.

e) Atendimento às obrigações fiscais acessórias

   Aborda a legislação tributária local e suas necessidades informacionais.

f) Atendimento ao princípio da evidenciação (*disclosure*) empresarial

   Aborda as normas e leis que, conjuntamente com as boas práticas de governança corporativa, definem modelos de publicações de informações das entidades. No Brasil a base normativa é a Lei das Sociedades por Ações e Normas do CFC (Conselho Federal de

Contabilidade) e Ibracon. Nos Estados Unidos são as normas chamadas USGAAP emitidas pela FASB (*Financial Accounting Standard Board*) e delimitações de controle interno preconizadas pela Lei Sarbanes Oxley. Nos países da União Européia a base são os IFRS (*International Financial Report Standards*) e IAS (*International Accounting Standards*).

A contabilidade gerencial mensura e relata informações econômico-financeiras, bem como outros tipos de informações que ajudam os gerentes a atingir as metas da organização ou mesmo sugerir mudanças de metas. No entanto, não se direciona exclusivamente à parte interna da entidade. As empresas estão cada vez compartilhando a informação contábil com as partes externas, como fornecedores, clientes e *stakeholders* em geral.

A Contabilidade de Custos é função básica das contabilidades societária e gerencial, mensurando e relatando informações financeiras e não financeiras relacionadas à aquisição e ao consumo e transformação de recursos pela entidade. Ela fornece informações tanto para a Contabilidade Gerencial, como para a Contabilidade Societária.

A Contabilidade de Custos, portanto, faz parte do Sistema de Informação Contábil e concentra-se no processo operacional composto pelas atividades empresariais.

A Contabilidade Fiscal visa ao bom atendimento às obrigações acessórias previstas em leis e normas tributárias.

Por fim, a Contabilidade Societária tem por escopo atender às necessidades de informação econômica dos *stakeholders* relacionados com a entidade.

Planejamento e Controle de Resultados

Os paradigmas atuais de gestão indicam que a empresa é vista como um conjunto de atividades que compõem uma cadeia de valor preconizada por Michel Porter.

A cadeia de valor é a seqüência de atividades que adicionam utilidades aos produtos ou serviços da organização.

O planejamento é a escolha de caminhos, objetivos e estratégias que irá buscar otimizar a cadeia de valor da entidade.

Do planejamento extrai-se a determinação de metas, a previsão de resultados sobre vários caminhos de obtenção destas metas e a decisão de como atingi-las.

É por meio de um plano de ação composto dos chamados planos operacionais (administração, investimento, *marketing*, produção etc.) que a empresa concretiza o produto do planejamento.

O orçamento empresarial é a monetarização desses planos operacionais.

O controle diz respeito à ação de monitoramento que dá condições de avaliação racional do encaminhamento das ações planejadas e os efeitos das decisões tomadas, constituindo-se da avaliação de gestores e pessoal envolvido e dos processos operacionais.

Analisar, estudar e conhecer as diferenças entre os resultados reais e os orçados é uma parte importante da gestão das entidades.

Planejamento e controle estão interligados e, de maneira geral, o controle, em sentido amplo, abrange todo o processo gerencial de planejamento e controle.

A Controladoria é a função que possui a missão básica de apoiar com seu ferramental técnico e ação gerencial as medidas de planejamento e controle das entidades.

Métricas de Avaliação e o Custo de Oportunidade

Este tópico contou com a colaboração dos alunos do curso de mestrado acadêmico da Unimonte, na disciplina Economia de Empresas, ministrada pelo autor no segundo trimestre de 2004.

O conceito de custo de oportunidade está embutido na própria definição da Economia. Um importante elemento na fixação do conceito de custo de oportunidade é o agente econômico.

Rosseti (1997) define agentes econômicos como:

> Aqueles que no sistema econômico são levados a empregar recursos e a interagir via produção, distribuição e uso dos produtos gerados dentro de mecanismos institucionais de controle e de disciplina, que envolvem desde o emprego dos fatores produtivos até as formas de atuação, as funções e os limites de cada um dos agentes.

O autor em foco expõe de forma bastante sucinta e elucidativa o termo, enfatizando toda a função dos agentes econômicos no sistema econômico.

Encaminha-se disso que o custo de oportunidade diz respeito a dois agentes econômicos, o investidor e o objeto de seu investimento, a empresa.

Para Martins (2003), a tomada de decisão gerencial deve ser sempre precedida por uma comparação entre duas hipóteses, ou seja, a análise do retorno do investimento ou o risco zero da aplicação.

Pode-se verificar então que o custo de oportunidade é um elo entre os conceitos econômicos e sua aplicação na economia da empresa e sua gestão.

Horngren, Foster e Datar (2004) afirmam que "o custo de oportunidade é a contribuição disponível máxima ao lucro, abandonada (ou desprezada), usando-se recursos limitados para um propósito em particular".

O custo de oportunidade é visto como um custo comparativo com determinada alternativa que o maximize.

Sobre a avaliação do custo de oportunidade, Damodaran (2002) define que:

> Projetos são tipicamente analisados com base nos seus fluxos de caixa esperados e nas taxas de desconto na época em que a análise é feita; o valor presente líquido calculado nesta base é uma medida do seu valor e da aceitabilidade naquele momento.

Nessa abordagem a medição do valor do custo de oportunidade é essencialmente monetária, baseada no retorno financeiro do projeto, sem levar em consideração benefícios qualitativos para o investidor.

Gitman (2002) estabeleceu o custo de oportunidade como sendo os "Fluxos de caixa que poderiam ser realizados através do melhor uso alternativo de um determinado ativo".

De acordo com esse autor, é importante haver vários fluxos de caixa sobre a decisão a ser tomada, pois somente após a análise da melhor opção projetada é que deve ser feita a escolha mais adequada.

Comentando a respeito do custo de oportunidade, GGaslene, Fensterseifer e Lamb (1999) afirmam que:

> Trata-se, na verdade, de um custo incremental; ele não representa uma saída de caixa, mas uma renúncia, em função do projeto, de uma entrada de caixa que a empresa poderia ter. Todo recurso que um projeto utiliza deve ser imputado a seu custo de oportunidade.

E sugerem o VPL (valor presente líquido) e a TIR (taxa interna de retorno) como métricas de avaliação de investimentos.

Aqui também vemos o viés de um foco em mensuração estritamente financeira e monetária.

BEUREN (1993) estabeleceu um relacionamento entre Economia e Contabilidade na definição do custo de oportunidade:

> O conceito de custo de oportunidade, tanto em Economia quanto em contabilidade, tem fundamento à escolha entre alternativas viáveis de aplicação de recursos. Todavia, na implementação de conceito de custo de oportunidade no processo decisório das empresas, encontram-se dificuldades na determinação de um único atributo para as diversas alternativas bem como a mensuração das mesmas. Muitas vezes, estes valores não são obteníveis de imediato no mercado e projeções (estimativas) devem ser efetuadas.

Conforme a autora, toda avaliação de custo de oportunidade deve seguir um elenco de estimativas para que sejam determinadas as melhores atuações nas tomadas de decisões. Desse modo, as métricas relacionadas ao custo de oportunidade devem ser explicitadas objetivando a maior eficiência de sua utilização.

Por meio de estudos empíricos não publicados, levados a efeito no final de 2003 e início de 2004, por grupo de pesquisa na Unimonte – Centro Universitário Monte Serrat, coordenado pelo autor deste livro, definiram-se *métricas de avaliação* como índices que relacionam valores estabelecidos em modelos de gestão.

Elas se compõem do objetivo da medição, fórmula de cálculo, nome e identificação, e de um modelo de gestão à que se referem.

Normalmente são estipulados padrões que servem para contrapor com os índices verificados. Por exemplo, o RSPL (retorno sobre patrimônio líquido) é o resultado de dois valores monetários: *lucro líquido* e *patrimônio líquido*.

Esse índice pressupõe as definições de lucro e patrimônio embutidas em um modelo de decisão ou de monitoramento do resultado de determinado investimento.

Vários são os sistemas de métricas e avaliação em finanças empresariais, como o *Balanced Scorecards* (Kaplan e Norton, 1997), a Análise de Balanços por Índices (Matarazzo, 2001), a Fórmula da DuPont (ROI – *Return on Investment*; Gitman, 2002) entre outros.

Copeland, Koller e Murrin (2000) entendem que:

> O valor é a melhor métrica de desempenho porque é a única que exige informação completa. Para compreender plenamente o processo de criação de valor é preciso usar a perspectiva de longo prazo, gerenciar os fluxos de caixa tanto da demonstração de resultados como do balanço patrimonial e saber como comparar os fluxos de caixa de diferentes períodos ajustados por seus riscos.

De fato, valor é uma métrica importante na avaliação de desempenho, porém o desempenho tem aspectos que excedem a mensuração em fluxos de caixa, como, por exemplo, a motivação dos colaboradores, o respeito do consumidor, as iniciativas de melhorias ambientais etc.

No que diz respeito ao custo de oportunidade, verifica-se que, ao se oferecer um projeto de investimento a potenciais investidores, necessita-se de um método de mensuração do valor do projeto para esses investidores.

Schein (1982); Hronec (1994); Kaplan e Norton (1997); Sink e Tuttle (1993); Horngren, Foster e Datar (2004); Booth (1997); Cook (1995); e Halachmi e Bouckaert (1994) reforçam que o desempenho organizacional não pode ser resumido apenas aos resultados financeiros de um período de tempo; admite-se que sirvam como bons indicadores – apenas.

Com relação à medição de desempenho, Sink e Tuttle (1993) escreveram que:

> [...] os melhores sistemas de medição são um misto de objetivo e subjetivo, quantitativo e qualitativo, intuitivo e explicito, difícil e fácil, bom senso e regras de decisão ou mesmo inteligência artificial. O principal objetivo da medição, muitas vezes desprezado, é melhorar.

A metodologia de elaboração do processo de valoração de investimentos passa, assim, não apenas pela avaliação do valor do projeto por parte do avaliador independente, mas, também pela avaliação do valor do projeto para os potenciais investidores, e essa avaliação deve pressupor indicadores monetários e não monetários.

A ligação entre o valor do projeto para o avaliador independente e para o agente econômico interessado em investir no projeto é o custo de oportunidade do projeto.

Exemplificando, teríamos de estabelecer ao menos uma métrica de retorno do capital investido (monetária) e uma métrica de vantagens estratégicas para o investidor (não monetária).

As estratégias do investidor em relação a determinado investimento formam um dos elementos do valor do investimento.

Elas precisam ser qualificadas e quantificadas para estabelecimento do valor do investimento.

O fator monetário, o mais comum na bibliografia em relação a métricas do custo de oportunidade, pode ser suficiente para avaliar quantitativamente as estratégias, porém não o é para a sua mensuração qualitativa.

Conclui-se que o custo de oportunidade não é um conceito concretizado por um número monetário, mas sim por uma cesta de indicadores de valor que comporiam as métricas desse custo.

Como encaminhamento próximo para o problema, visualiza-se a elaboração de um modelo de métricas para o custo de oportunidade e seu teste de validação empírico.

Esse modelo deve minimamente contemplar a quantificação e qualificação das estratégias do investidor em índices.

CAPÍTULO 3

Introdução à Contabilidade Internacional

Por ser uma ciência social, o idioma contábil enfrenta dificuldade em ser eficaz como meio de comunicação ao ter de submeter-se a esquemas normativos distintos.

As diferentes normas contábeis utilizadas pelos diversos países vêm dificultando os processos informativos no ambiente econômico globalizado, tanto no controle de investimentos multinacionais, quanto na obtenção de recursos externos.

Além de moeda e língua distintas, as regras para elaboração das demonstrações financeiras são bastante diferentes.

Os GAAP (*Generally Accepted Accounting Principles*) são concernentes à mensuração da atividade econômica, ou seja, o momento em que tais medidas são feitas e registradas, a evidenciação envolvendo essas atividades, e a preparação e apresentação das atividades econômicas sumarizadas nas demonstrações financeiras.

Os princípios contábeis, produto do meio econômico no qual são desenvolvidos, direcionam-se usualmente a soluções objetivas, conservadoras e verificáveis.

A Contabilidade, como ciência do conhecimento econômico empresarial, objetiva informar as transações incorridas pela entidade, seus efeitos econômicos atuais (*resultado*) e dar condições de visão dos efeitos econômicos futuros (*valor*).

Para tanto, costuma-se decompor os princípios normativos da Contabilidade em dois:

> **Princípios de mensuração.** Determinam o momento e a base dos itens que pertencem ao ciclo contábil e impactam as demonstrações financeiras.
>
> São padrões quantitativos que requerem respostas numéricas precisas a problemas e atividades sujeitas à grande quantidade de incertezas.
>
> **Princípios de evidenciação.** Lidam com fatores que nem sempre são numéricos.

Tais evidenciações envolvem quadros qualitativos que são os ingredientes essenciais de um grande conjunto de demonstrações financeiras.

A sua ausência pode fazer as demonstrações financeiras, criadas pelos *princípios de mensuração*, confusas em si mesmas.

Os *princípios de evidenciação* complementam os padrões de mensuração ao detalhá-los e ao dar outras informações sobre políticas contábeis, contingências, incertezas etc., que são ingredientes essenciais no processo analítico de contabilização.

Os GAAP englobam as convenções, regras e procedimentos necessários para definir a prática contábil aceitável num momento particular.

O padrão dos GAAP inclui não apenas um direcionamento amplo de aplicação geral – normalmente denominado de Estrutura Conceitual Básica –, mas também práticas e procedimentos detalhados.

Os GAAP são convencionais; eles se tornam em geral aceitos por acordo (freqüentemente tácito) em vez de derivação formal de um conjunto de postulados ou conceitos básicos.

Os princípios têm sido desenvolvidos com base na experiência, razão, costume, uso e, em uma extensão significativa, necessidade prática.

O Ambiente Econômico Internacional e a Regulamentação Contábil

Em Teoria dos Sistemas, aprendemos que o ambiente é aquilo que afeta o sistema, porém esse não pode afetá-lo relevantemente.

Podemos classificar o ambiente geral contábil em vários componentes, por exemplo: ambiente econômico (capitalismo); ambiente jurídico (lei comum e lei codificada); ambiente social; ambiente tecnológico etc.

Há situações em que dois ou mais componentes ambientais incongruentes afetam o SIC (Sistema de Informação Contábil) – por exemplo, a contabilidade de uma subsidiária de empresa norte-americana localizada na China Continental. Nesse caso existem dois ambientes econômicos (capitalismo e socialismo) a influenciar o SIC da subsidiária, com usuários da informação contábil pertencentes aos dois ambientes.

Vamos nos ater aqui ao ambiente normativo (jurídico em sua acepção ampla), que afeta o registro de transações econômicas e dos subseqüentes relatórios (demonstrações financeiras ou contábeis) do SIC.

A evolução da contabilidade em vários países levou inevitavelmente a diferentes práticas e regulamentações.

Em adição às diferenças de sistemas econômicos, sistemas legais diferentes têm levado a efeitos profundos na abordagem contábil e seu reporte financeiro.

Qualquer que seja o sistema legal ou econômico, em virtualmente todos os países do mundo há algum grau de regulamentação da profissão contábil pelos órgãos regulatórios do governo ou sociedades profissionais, ou ambos. O resultado geral é um complexo aglomerado de leis, regras e padrões.

Entre os países mais desenvolvidos do mundo, existem dois tipos distintos de ambientes regulatórios, cada qual, por sua vez, condicionou dois tipos de evolução da teoria e prática contábil.

Embora haja uma vasta cadeia de diferenças entre esses dois grupos, parece que a diferença essencial está entre o costume da *common law versus* a tradição da *code law*.

As nações que têm codificado muitas regras de comportamento tendem também a formalmente prescrever assuntos contábeis e de reporte financeiro, e freqüentemente o reporte financeiro tem sido subserviente ao sistema de impostos do país.

O Código Napoleônico é universalmente referido como um modelo de *code law*, e de fato a maioria das nações dominadas pela França durante o império de Napoleão aderiu a essa abordagem legal.

O pólo oposto ao *code law*. O *commom law*, é exemplificado pela Inglaterra e os países, incluindo os Estados Unidos, influenciados pela Grã-Bretanha.

Enquanto os países que seguem o modelo *code law* tendem a prescrever o que precisa ser feito, as nações optantes do *commom law* tendem a ser permissivas até que regras sejam feitas sobre ações que não devem ser efetuadas, como as que proscrevem relatórios financeiros fraudulentos; como exemplo, temos a lei norte-americana Sarbanes Oxley.

Adicionalmente, a tradição de livre empresa de um país tem historicamente sido importante no desenvolvimento de regras contábeis e na profissão contábil.

O princípio de *full disclosure* é muito importante tanto nos Estados Unidos quanto no Reino Unido. Espera-se que as demonstrações financeiras sejam transparentes, de maneira que os usuários, geralmente considerados investidores e credores, possam entender a completa natureza do relatório das operações e finanças da empresa.

As regras são largamente estabelecidas pela própria profissão, e o reporte de impostos é um assunto separado e distinto que não direciona o relatório financeiro.

O regulamentador do mercado de capitais norte-americano (*Securities and Exchange Comission - SEC*) tem autoridade estatutária para estabelecer GAAP para sociedades anônimas abertas, que virtualmente nunca exerceu, deixando a organismos de profissionais contábeis a responsabilidade por este estabelecimento.

Se comparados com os Estados Unidos e o Reino Unido, países na Europa e Japão têm um sistema econômico capitalista que se baseia menos no mercado público de capitais e mais em financiamentos bancários.

O relacionamento entre financiadores e tomadores é muito maior que o geralmente existente entre as companhias e seus investidores acionários, uma vez que há tipicamente menos emprestadores do que acionistas, e cada emprestador tem um interesse maior nos eventos futuros do que um passivo investidor.

Assim, existe uma grande habilidade em obter informação informalmente; financiadores importantes podem demandar informação de seus devedores à vontade e não há limitação de qual *disclosure* é mandatório pelos padrões contábeis ou pela freqüência que o reporte financeiro é feito aos acionistas. A implicação é que as regras contábeis são de menor importância nesses ambientes.

Ambos, França e Alemanha, têm tradição de *code law* e nas duas nações a profissão contábil do setor privado tem influência limitada no desenvolvimento de requerimentos contábeis e de reporte financeiro. O reporte financeiro é ditado pela lei, que faz algumas distinções entre empresas grandes ou companhias estatais e empresas pequenas ou privadas.

O sistema francês é muito similar ao alemão, tendo sido substancialmente influenciado por esse país durante a ocupação da Segunda Guerra Mundial.

A maior parte dos conceitos básicos, como o regime de competência de exercícios e o regime da continuidade (*going concern assumption*), é idêntica aos reconhecidos pelos Estados Unidos e Reino Unido.

As regras de reporte financeiro japonesas foram originalmente modeladas pela contabilidade alemã, como um resultado da associação entre essas duas nações na primeira metade do século XX, embora recentemente elas tenham sido influenciadas pelos padrões norte-americanos.

A Necessidade de Padrões Contábeis

A contabilidade é uma disciplina essencialmente padronizada, e é de sua consistência que tem resultado tanto sucesso ao longo dos séculos.

As grandes mudanças nas práticas comerciais que se seguiram ao término da Segunda Guerra Mundial têm levado à necessidade da internacionalização das práticas contábeis e de auditoria; mudanças essas encontradas principalmente na evolução dos empreendimentos multinacionais e, mais recentemente, nos mercados de capitais internacionais.

A Tecnologia da Informação tem acelerado esse processo, municiando a comunicação corporativa em aceleração geométrica.

As multinacionais cresceram relevantemente e nos últimos quarenta anos assumiram um papel dominante em muitos segmentos de mercado afetando quase todos os países, cada governo e cada indivíduo.

Sob uma perspectiva contábil, a complexidade de conduzir operações de negócios internacionais através de fronteiras nacionais, cada uma com um conjunto de regulamentações comerciais e quase freqüentemente com critérios contábeis diferentes, apresenta um desafio assustador aos contadores e corpos profissionais que estabelecem regras de contabilidade e auditoria.

A diversidade da contabilidade aplicável e das regras de impostos afetam a habilidade do empreendimento em preparar informação financeira fidedigna necessária à análise cuidadosa de oportunidades de investimento.

A globalização dos mercados de capitais também contribui para a necessidade de harmonizar os requisitos do reporte financeiro.

SEC E FASB

A SEC (*Securities and Exchange Comission*) é o órgão responsável pela regulamentação e fiscalização do mercado norte-americano de capitais. Tem o objetivo principal de assegurar aos investidores acesso a informações completas necessárias à tomada de decisão.

A SEC tem autoridade estatutária para estabelecer GAAP a entidades públicas (sociedades anônimas abertas ou a elas equiparadas), contudo tem deixado à profissão contábil o recurso de auto-regulamentação, em específico à FASB (*Financial Accounting Standards Board*) .

A FASB é uma junta reconhecida e subordinada às regras da SEC que tem como objetivo estabelecer e aperfeiçoar os procedimentos, conceitos e normas contábeis nos Estados Unidos. Entre esses estão pronunciamentos (FASB *Statements*), interpretações, boletins técnicos e forças-tarefas.

Com base nas normas emitidas pela FASB, as empresas submetidas à fiscalização da SEC convertem seus demonstrativos financeiros e reportam as transações em moeda estrangeira, incluindo contratos de câmbio futuro.

Desde a sua fundação, em junho de 1973, a FASB tem sido a organização, nos Estados Unidos, com autoridade designada para estabelecer padrões de contabilidade financeira; ela é reconhecida como autoridade por meio do SEC *Accounting Series Release* nº 150, de 1973, e pela Regra 203, que faz parte das Regras de Conduta do AICPA (*American Institute of Certified Public Accountants*).

O *Release* nº 150 estabeleceu que:

Princípios, padrões e práticas promulgados pela FASB serão considerados pela Comissão como tendo substancial suporte e aqueles contrários aos promulgados pelo FASB serão considerados como não tendo esse suporte. (tradução nossa)

Embora haja controvérsias e desacordos sobre suas atividades e pronunciamentos, a FASB continua a operar com a confiança dos profissionais da Contabilidade e organizações empresariais.

A FASB é um corpo independente, suportado pela Fundação de Contabilidade Financeira (*Financial Accounting Foundation* – FAF) para seleção de seus membros e receita de orçamentos; os fundos são levantados das contribuições feitas à Fundação. O Conselho de Curadores (*Board of Trustees*) da FAF é formado por membros dos seguintes órgãos:

- *American Accounting Association;*
- *American Institute of Certified Public Accountants;*
- *Financial Analysts Federation;*
- *Financial Executives Institute;*
- *Government Finance Officers Association;*
- *Institute of Management Accountants;*
- *National Association of State Auditors, Comptrollers and Treasurers;*
- *Securities Industry Association.*

Em 1984, a FAF estabeleceu a *Governmental Accounting Standards Board* (GASB) para definir padrões de contabilidade financeira para o Estado e entidades governamentais locais.

A FASB consiste em sete membros em período integral. Eles têm experiência diversa, com três oriundos da contabilidade pública, dois da iniciativa privada, um do governo e um da área acadêmica. O grupo é assistido por profissionais que conduzem pesquisa e trabalho diretamente com a FASB.

Existe também um Conselho de Aconselhamento de Normas Contábeis Financeiras (*Financial Accounting Standards Advisory Council*) que tem responsabilidade por consultoria ao FASB nas áreas maiores de pesquisa e análise.

Entre os vários tipos de princípios contábeis mandatórios que o FASB emite, destacam-se os Pronunciamentos de Normas Contábeis Financeiras (*Statements of Financial Accounting Standards*). Eles estão disponíveis para *download*, em forma resumida e integral, no site www.fasb.org, além das Interpretações (FIN) e Conceitos (SFAC).

Vale destacar ainda as Interpretações (*Interpretations*) e os Boletins Técnicos. As primeiras são utilizadas para classificar ou elaborar padrões existentes ou pronunciamentos de organismos predecessores; elas são submetidas ao Conselho para comentário e avaliação. Já os Boletins Técnicos usualmente abordam assuntos não cobertos pelos padrões existentes e são principalmente usados para fornecer orientações a respeito de tópicos que não costumam sofrer grandes mudanças. Os Boletins são discutidos nas reuniões da FASB e submetidos ao seu veto.

Ambos, Interpretações e Boletins, são designados à implementação e auxílio na resolução de problemas em assuntos relativamente sérios.

Modelo Conceitual

A FASB emitiu os chamados Pronunciamentos de Conceitos de Contabilidade Financeira (*Statements of Financial Accounting Concepts* – SFAC) em uma série designada a constituir a fundação dos padrões de contabilidade financeira.

O modelo é desenhado para prescrever a natureza, função e limites da Contabilidade Financeira e para ser usado como um guia que irá conduzir a padrões consistentes. Esses pronunciamentos não estabelecem padrões contábeis ou práticas de evidenciação para itens particulares.

Os pronunciamentos do Modelo Conceitual são:

SFAC 1 – *Objectives of Financial Reporting by Business Enterprises*. Identifica três objetivos do reporte financeiro: fornecer informação útil para decisões econômicas, fornecer informação compreensível capaz de predizer fluxos de caixa ,e fornecer informação relevante sobre recursos econômicos e as transações, eventos e circunstâncias que os modificam.

SFAC 2 – *Qualitative Characteristics of Accounting Information*. Identifica as qualidades que tornam a informação útil.

SFAC 3 – *Elements of Financial Statements of Business Enterprises*. Foi substituído pelo SFAC 6.

SFAC 4 – *Objectives of Financial Reporting by Nonbusiness Organizations*. Tem natureza específica e especializada.

SFAC 5 – *Recognition and Measurement in Financial Statements of Enterprises*. Determina critérios de conteúdo e oportunidade de informações que devem estar nas demonstrações financeiras.

SFAC 6 – *Elements of Financial Statements of Business Enterprises*. Define dez elementos como base das demonstrações financeiras.

SFAC 7 – *Using Cash Flow Information and Present Value in Accounting Measurements*. Define critérios e limitações para cálculo de valor presente e informações sobre fluxo de caixa.

A seguir, são apresentadas as principais normas de USGAAP, mais usualmente verificadas em sua aplicação:

NORMA	ASSUNTO	ANO DE EMISSÃO
ARB – 43	Revisão de boletins de pesquisa contábil	1953
ARB – 45	Contratos de construção de longo prazo	1955
APB – 18	Equivalência patrimonial	1971
APB – 29	Transações não monetárias	1973
SFAS – 5	Contingências	1975
SFAS – 13	Leasing	1976
SFAS – 34	Capitalização de despesas com juros	1979
SFAS – 52	Translação de moeda estrangeira	1981
SFAS – 86	Softwares comercializados	1985
SFAS – 94	Consolidação de balanços de controladas	1987
SFAS – 95	Demonstração do fluxo de caixa	1987
SFAS – 109	Imposto de renda	1992
SFAS – 115	Valores mobiliários e investimentos	1993
SFAS – 117	Demonstrações financeiras de organizações sem fins lucrativos	1993
SFAS – 129	Informações sobre estrutura de capital	1997
SFAS – 133	Instrumentos derivativos e atividades de *hedging* (proteção)	1998
SFAS – 137	Diferimento da data efetiva do SFAS – 133 (15 de junho de 2000)	1999
SFAS – 141	Business Combinations junho	2001
SFAS – 142	Ativos intangíveis junho	2001
SFAS – 143	Obrigações com desmobilização junho	2001
SFAS – 144	Contabilização de Impairment de Ativos de Longa Duração	2001

Podemos notar que a longa evolução das práticas de *disclosure* contábil norte-americanas justifica a tradição de serem os USGAAP os padrões mundiais contábeis quando se fala em mercado de capitais.

Até o momento desta edição, foram emitidos 150 SFAS.

IFRS
A Contabilidade Internacional e o IASB

O IASB (*International Accounting Standards Board*) é o responsável pela emissão de padrões internacionais de contabilidade e esse padrão é aceito pela União Européia que o adota mandatoriamente a partir de 1º de janeiro de 2005.

O site www.iasplus.com é, dentre os pesquisados até setembro/2004, um dos melhores que versam sobre o tema Contabilidade Internacional e possui farto material de consulta a respeito.

Até março de 2004 foram emitidos, além de 41 IAS (*International Accounting Standards*), mais 5 IFRS (*International Financial Report Standard*).

A relação de normas IAS emitidas pelos IASC/IASB é apresentada a seguir:

- IAS 1: *Presentation of Financial Statements.*
- IAS 2: *Inventories.*
- IAS 7: *Cash Flow Statements.*
- IAS 8: *Net Profit or Loss for the Period, Fundamental Errors and Changes in Acco...*
- IAS 10: *Events After the Balance Sheet Date IAS 11: Construction Contracts.*
- IAS 12: *Income Taxes.*
- IAS 14: *Segment Reporting.*
- IAS 15: *Information Reflecting the Effects of Changing Prices.*
- IAS 16: *Property, Plant and Equipment.*
- IAS 17: *Leases.*
- IAS 18: *Revenue.*
- IAS 19: *Employee Benefits.*
- IAS 20: *Accounting for Government Grants and Disclosure of Government Assistance.*
- IAS 21: *The Effects of Changes in Foreign Exchange Rates.*
- IAS 22: *Business Combinations.*
- IAS 23: *Borrowing Costs IAS 24: Related Party Disclosures.*
   IAS 26: *Accounting and Reporting by Retirement Benefit Plans.*
- IAS 27: *Consolidated Financial Statements.*
- IAS 28: *Investments in Associates.*
- IAS 29: *Financial Reporting in Hyperinflationary Economies.*

- IAS 30: *Disclosures in the Financial Statements of Banks and Similar Financial I...*
- IAS 31: *Financial Reporting of Interests in Joint Ventures.*
- IAS 32: *Financial Instruments: Disclosure and Presentation.* · IAS 33: *Earnings per Share.*
- IAS 34: *Interim Financial Reporting.*
- IAS 35: *Discontinuing Operations.*
- IAS 36: *Impairment of Assets.*
- IAS 37: *Provisions, Contingent Liabilities and Contingent Assets.*
- IAS 38: *Intangible Assets.*
- IAS 39: *Financial Instruments: Recognition and Measurement.*
- IAS 40: *Investment Property.*
- IAS 41: *Agriculture.*

CAPÍTULO 4

Sarbanes Oxley Act

A NECESSIDADE DE FIDÚCIA NO REPORTE FINANCEIRO

Os relatórios financeiros servem a um amplo espectro de usuários, com necessidades diversificadas e específicas.

A informação econômico-financeira publicada das entidades tem a característica de servir à análise e tomada de decisão com reflexos econômicos e financeiros diretos ou indiretos para esses usuários.

Assim, além de normatizada, existe a necessidade de a informação ter como característica essencial a fidedignidade às normas estabelecidas. Em outras palavras, é preciso haver segurança para os usuários de que os dados utilizados para análise e tomada de decisão estejam de acordo com os princípios e normas convencionados.

Aqui reside a coluna mestra da Auditoria. Função socialmente necessária, ela tem como objetivo fornecer, entre outros serviços, conforto aos usuários sobre a informação pública das entidades em relação aos procedimentos utilizados para produção dessa informação.

Em termos legais há vários mecanismos regionais que buscam dar elementos processuais a essa segurança informacional. Um exemplo de mecanismo legal é o diploma norte-americano Sarbanes Oxley Act, conhecido pelas siglas Sarbox, Saox, SOX ou mesmo SO, cujos relatores do projeto foram Paul S. Sarbanes e Michael G. Oxley, membros do Congresso norte-americano.

Essa lei dita procedimentos e estabelece penas de proteção a esses procedimentos, relacionados ao controle interno das entidades e à conseqüente informação pública que tal controle possibilita gerar.

ELEMENTOS DE REGULAMENTAÇÃO NORTE-AMERICANA SOBRE CONTROLE INTERNO

É sempre difícil estabelecer o início preciso de determinado processo regulatório, porém podemos verificar alguns momentos que determinam fases do processo.

O processo regulatório referente a controles internos tem um marco importante nos Estados Unidos por ocasião da lei aprovada pelo Congresso norte-americano, em dezembro de 1987, denominada *Foreign Corrupt Practices Act* (FCPA) .

Essa lei restringe-se a sociedades anônimas por ações, registradas sob o parágrafo 12 da Lei de Mercado de Capitais publicada em 1934 (*Securities and Exchange Act*), sob a esteira do grande *crash* do mercado de capitais em 1929.

De maneira geral o escopo de aplicação está nas empresas com US$ 1 milhão em ativos e 500 ou mais acionistas ou que tenham ações negociadas em bolsas de valores.

A FCPA tem várias cláusulas referentes ao controle interno. A motivação embrionária dessa lei encontra-se nos casos de subornos de funcionários estrangeiros por empresas de capital aberto (*public listed companies*), e, por meio de especificações e prescrições de controle interno exigidas dessas empresas, visou-se a reduzir o risco de pagamentos ilegais ou questionáveis no exterior.

As empresas, sob a FCPA, são obrigadas a criar, implementar e manter sistemas de controle que ofereçam garantias razoáveis de que as transações serão registradas de conformidade com os princípios contábeis geralmente aceitos (PCGA); que seus ativos serão devidamente contabilizados; que o acesso aos ativos será devidamente controlado; e que serão comparações (*compliance*) periódicas entre os ativos existentes e os ativos registrados e reportados pelo sistema contábil.

Para envolver os administradores nesse assunto, há uma cláusula que torna os administradores e membros do conselho dessas empresas pessoalmente responsáveis por pagamentos ilegais feitos a funcionários estrangeiros.

Em virtude dessa lei, a sociedade norte-americana e mais especificamente os *stakeholders* envolvidos na implementação dela – contadores, auditores, administradores e empresas – iniciaram estudos para estabelecer padrões de processos de controles internos razoáveis.

Auditores independentes, por intermédio de seu instituto (*American Institute of Certified Public Accountants* - AICPA), em seu SAS 55 (*Statement of Auditing Standard* 55) de abril de 1988, pregam que a administração deve estabelecer uma estrutura de controle interno composta por três elementos: ambiente de controle, sistema contábil e procedimentos de controle. Um estudo legendário a respeito foi realizado pela *Treadway Commission*, da *National Comission on Fraudulent Financial Reporting*.

Recomendado pela *Treadway Commission*, no sentido de desenvolver-se uma definição comum de controle interno com as diretrizes processuais adequadas ao acompanhamento desse controle, criou-se o Comitê das Organizações Patrocinadoras (*Committee of Sponsoring Organizations of the Treadway Comission* – COSO).

O modelo apresentado pelo COSO em julho de 1992 e atualizado em julho de 1994 (*Internal Control – Integrated Framework*), atualmente conhecido como COSO 1, definiu controle interno e elaborou critérios para avaliação de sistemas desse tipo. Daí o controle interno ser visto como um sistema e, portanto, com enfoque processual de melhoria; contudo, ele é apenas uma ferramenta administrativa, e não pode substituir a própria administração.

O COSO 1 responsabiliza pelo processo de controle interno o Conselho Diretor (*Board*), a Administração (*Directors*) e os funcionários da entidade. Ele estabelece o processo como o garantidor para a realização de objetivos das seguintes categorias:

a) eficácia e eficiência de operações;
b) confiabilidade dos relatórios financeiros;
c) cumprimento das leis e regulamentos pertinentes.

O COSO 1 recomenda também que a avaliação do processo de controle interno deva ser pontual ao longo do tempo, como, por exemplo, mensal, trimestral ou anual. O modelo estabelece ainda que um sistema de controle interno deve conter cinco componentes inter-relacionados:

1. ambiente de controle (com foco na estrutura organizacional e as relações com o ambiente externo);
2. avaliação de risco (focado em objetivos da empresa como um todo, objetivos em nível das atividades, riscos e mudança administrativa);
3. atividades de controle (com foco em políticas e procedimentos);
4. informações e comunicações (com foco em informação e comunicação);
5. monitoramento (com foco em monitoração corrente, avaliações separadas e reporte de deficiências).

Após a emissão do COSO 1, o AICPA emitiu o SAS 78, substituindo a definição de controle interno do SAS 55 pela definição de controle interno dada pelo COSO. Desse modo, o modelo COSO 1 tornou-se um paradigma de mercado, pois os auditores independentes o utilizam como padrão para revisão do controle interno em seus trabalhos de emissão de parecer sobre demonstrações financeiras empresariais.

Além desses fatos, outra importante entidade de mercado interessada no assunto controle interno, a Fundação de Auditoria e Controle de Sistemas de Informações (*Systems Audit and Control Foundation* – ISAF), criou um projeto de estudo denominado Objetivos de Controle de Informações e Tecnologias Relacionadas (*Control Objetives for Information and Related Technology* – COBIT), cujo relatório foi publicado em 1995.

O COBIT também partiu do modelo COSO 1 e estabeleceu sua definição de controle interno que contempla as diretrizes, procedimentos, práticas e estruturas organizacionais destinadas a fornecer razoável garantia de que os objetivos empresariais serão alcançados e que eventos indesejados serão evitados ou detectados e corrigidos.

O COBIT é bastante focado nos processos de tecnologia de informação e seus relacionamentos com o controle interno.

Objetivamente, todos estes documentos emitidos – COSO 1, SAS 78 e COBIT – enfatizam que a administração é responsável por estabelecer, manter e monitorar o sistema de controle interno de uma empresa.

O COSO propõe uma adição técnica em seu documento inicial, que atualmente está em audiência pública para críticas e sugestões, denominado *Enterprise Risk Management Framework*, conhecido informalmente por COSO 2. Esse documento, conforme atualmente escrito, estrutura-se em oito componentes:

1. Ambiente interno
2. Estabelecimento de objetivos
3. Identificação de eventos
4. Avaliação de risco
5. Resposta ao risco
6. Atividades de controle
7. Informação e comunicação
8. Monitoramento

A Lei Sarbanes Oxley

A lei Sarbanes Oxley sancionada pelo presidente dos Estados Unidos, George W. Bush, em julho 2002, afeta o reporte financeiro de empresas que têm ações negociadas em bolsas naquele país.

Esta lei abrange tanto as empresas norte-americanas com ações em bolsas de valores nos Estados Unidos, quanto as empresas estrangeiras com recibos de ações (*American Depositary Receipt* – ADR) negociados em bolsas norte-americanas.

A aplicação da legislação está sendo monitorada e parcialmente delimitada e operacionalizada no âmbito do mercado de capitais norte-americano pela SEC (*Securities and Exchange Comission*), que emitiu nota à imprensa sobre o calendário da implementação da lei em referência:

> *Extension of Compliance Dates Regarding Internal Control Over Financial Reporting Requirements.*
>
> *Washington, D.C., Feb. 24, 2004 - The Commission has extended the compliance dates for amendments to its rules under the Securities Exchange Act of 1934 that were adopted on June 5, 2003, pursuant to Section 404 of the Sarbanes-Oxley Act.*
>
> *The amendments require a company to include in annual reports a report by management on the company's internal control over financial reporting and the accompanying auditor's report.*
>
> *Under the new compliance schedule, a company that is an "accelerated filer" as defined in Exchange Act Rule 12b-2 (generally, a U.S. company that has equity market capitalization over $75 million and has filed at least one annual report with the Commission), must begin to comply with these amendments for its first fiscal year ending on or after Nov. 15, 2004 (originally June 15, 2004).*
>
> *A non-accelerated filer must begin to comply with these requirements for its first fiscal year ending on or after July 15, 2005 (originally April 15, 2005).*
>
> *The Commission similarly has extended the compliance date for related requirements regarding evaluation of internal control over financial reporting and management certification requirements, including certification and related requirements applicable to registered investment companies. Please refer to Release No. 33-8392 for more detailed information.*

Entre outras conseqüências desta lei, temos a criação de uma comissão, a PCAOB (*Public Company Accounting Oversight Board*), com representação do setor privado, sob supervisão da SEC, com poderes de fiscalizar e regulamentar as atividades das auditorias e punir os auditores que vierem a violar os dispositivos legais.

A SOX estabelece também padrões mínimos de conduta profissional aos advogados que representem seus clientes perante a SEC, obrigando-os a apresentar evidências sobre qualquer violação relevante das leis do mercado de capitais por parte da empresa ou de seus administradores.

Caso a empresa ou seus administradores não respondam às denúncias, a lei determina obrigatoriedade do advogado reportar o ocorrido ao Conselho Fiscal ou outro órgão competente da empresa.

Em relação ao controle interno e à responsabilidade pela qualidade de informações públicas, a SOX exige que os principais executivos da empresa confiram os relatórios periódicos entregues à SEC, garantindo assim que esses não contenham informações falsas ou omissões, representando a real situação financeira da companhia; no caso de divulgação de informações errôneas ou inexatas, são impostas penalidades.

Especificamente, os diretores-presidente (*Chief Executive Officer* – CEO) e financeiro (*Chief Financial Officer* – CFO) têm de apresentar à SEC, além dos relatórios já correntemente previstos, declaração certificando que tanto o relatório da administração quanto as demonstrações financeiras indicam a real situação financeira e de resultado operacional da empresa e estão em conformidade com as normas da SEC; a quem não atender a esses requisitos há sanções pecuniárias de US$ 1 milhão a US$ 5 milhões e/ou penais de dez a vinte anos de reclusão. Em outras palavras, os referidos administradores não poderão alegar ignorância a respeito de erros e fraudes em relatórios financeiros de sua responsabilidade.

A seguir são expostas sinteticamente as principais partes desta lei:

Artigos 201, 202 e 301 – Abrangem o Comitê de Auditoria, a Independência dos Auditores e a Proibição da prestação de certos serviços (especialmente escrituração contábil, implementação de sistemas de informações financeiras e consultoria financeira) pelas empresas de auditoria.

Artigos 302 e 906 – Tratam de certificações dos relatórios anuais contendo as demonstrações financeiras (20-F e 40-F) por parte dos administradores (CEO e CFO), sob penalidades de responsabilidade civil e criminal.

Artigo 304 – Estabelece penalidades a conselheiros de administração e diretoria por violação do dever de conduta, e trata da devolução de bônus e lucros em caso de republicação de demonstrações financeiras.

Artigo 306 – Dá limitações a planos de benefícios a empregados.

Artigo 307 – Adota padrões de conduta profissional para advogados.

Artigo 402 – Veda empréstimos a conselheiros de administração e diretoria por parte da empresa.

Artigos 404, 407, 408 e 409 – Versam sobre os aspectos de controle interno, fiscalização da SEC sobre a informação pública, código de ética para diretores financeiros e publicação de alterações operacionais e/ou financeiras. Determina a emissão de relatório especial, com parecer, entregue à SEC, que ateste a realização anual de avaliação de controles e processos internos que são a base de relatórios financeiros. É, em nosso entendimento, a parte da lei que mais tangencia as funções da Controladoria.

Artigo 804 – Determina prazos de prescrição ao direito de ação tendo por objeto questões relativas à fraude e manipulação de informações envolvendo valores mobiliários. A prescrição varia entre dois anos após o descobrimento da ocorrência ou cinco anos após a ocorrência do evento, o maior prazo.

Esta lei reforça a necessidade de existirem métricas de controle corporativo que indiquem níveis de risco a que a empresa se expõe.

Em relação à Controladoria, embora não previsto, a Lei Sarbanes Oxley pode, em nosso entendimento, ser conceitualmente desdobrada em duas funções, derivadas das obrigações oriundas do artigo 404:

a) a de estabelecimento, implementação, monitoramento e manutenção de sistema de controle interno adequado às operações e riscos da entidade, em conjunto com a administração da empresa; e

b) a de certificação de confecção de relatórios em consonância com as melhores normas e práticas de reporte financeiro (*Generally Accepted Accounting Principles* - GAAP), integradas ao sistema de controle interno.

Em outras palavras, além de certificar-se com razoabilidade de que as operações estão adequadamente controladas, a Controladoria deve preocupar-se em que essas operações estejam adequadamente registradas no Sistema de Informação Contábil (SIC) e por ele devidamente processadas, e que as demonstrações financeiras emitidas pelo SIC estejam corretamente publicadas.

A Lei SOX ao fortalecer a fidúcia do reporte contábil externo, evidencia a aplicabilidade dos USGAAP que serão abordados na seqüência.

CAPÍTULO 5

USGAAP

USGAAP VERSUS BRGAAP

Os termos *United States Generally Accepted Accounting Principles* (USGAAP) e *Brazilian Generally Accepted Accounting Principles* (BRGAAP) não se referem propriamente a diferenças entre princípios contábeis utilizados nos Estados Unidos e os adotados no Brasil.

Sabemos que a classe contábil adota princípios contábeis razoavelmente parecidos.

As diferenças ocorrem não nos princípios que norteiam a contabilização e reporte financeiro, mas sim nas práticas e visões específicas das transações econômicas realizadas em cada país. Ademais, essas práticas contábeis são influenciadas e delimitadas pela normatização de cada nação.

Nos Estados Unidos o principal organismo normatizador em relação à contabilidade é a FASB.

No Brasil temos organismos como o Banco Central (resolução 220 de 1972), a CVM – Comissão de Valores Mobiliários (deliberação 29/86), a SRF – Secretaria da Receita Federal, a SUSEP – Superintendência de Seguros Privados, o CFC – Conselho Federal de Contabilidade (resoluções 750 de 1993 e 774 de 1994), o IBRACON – Instituto Brasileiro de Auditores Independentes (estrutura conceitual da contabilidade) etc, como organismos que delimitam a contabilidade em sua prática.

A fonte legal de norma contábil é a chamada Lei das Sociedades por Ações (6.404/76) agregada das atualizações posteriores.

Como todo meio informacional e de comunicação, a Contabilidade é um idioma em que é necessário, para sua eficácia, o conhecimento e entendimento de seus códigos e premissas por parte de quem o utiliza (emissor e receptor). Ao ser um idioma, a Contabilidade é ineficaz para aqueles que não conhecem seus princípios (premissas) e mecanismos processuais.

A Contabilidade é um sistema que utiliza como premissas os assim chamados PCGA (Princípios Contábeis Geralmente Aceitos);

Eles incluem os *postulados, princípios* e as *convenções contábeis*.

No Brasil os PCGAs são estabelecidos pelo CFC para todas as sociedades, e, especificamente para as sociedades anônimas abertas, a CVM emitiu sua deliberação nº 29, de 5 de fevereiro de 1986, em que aprova o pronunciamento do IBRACON sobre a Estrutura Conceitual Básica da Contabilidade.

A ciência contábil está inserida no escopo das ciências sociais e interligada com a ciência econômica.

Os postulados ambientais da Contabilidade enunciam condições sociais, econômicas e institucionais dentro das quais a ciência contábil atua e predispõe-se a assumir esta ou aquela postura.

Os *princípios* propriamente ditos representam a resposta aos postulados. Constituem o núcleo central da estrutura contábil. As *convenções* ou restrições representam certos condicionamentos de aplicação, numa ou noutra situação prática.

O *Postulado da Entidade Contábil* enuncia que a Contabilidade é mantida para as entidades; os sócios ou cotistas dessas não se confundem, para efeito contábil, com aquelas.

O *Postulado da Continuidade das Entidades* enuncia que para a Contabilidade, a entidade é um organismo vivo que irá operar por um longo período de tempo (indeterminado) até que surjam fortes evidências em contrário.

O *Princípio do Custo como Base de Valor* enuncia que o *custo* de aquisição de um ativo ou dos insumos necessários para fabricá-lo e colocá-lo em condições de gerar benefícios para a entidade representa a base de valor para a Contabilidade, expressa em termos de moeda de poder aquisitivo constante.

O *Princípio do Denominador Comum Monetário* enuncia que as demonstrações contábeis, sem prejuízo dos registros detalhados de natureza qualitativa e física, serão expressas em termos de moeda nacional de poder aquisitivo da data do último balanço patrimonial.

O *Princípio da Realização da Receita* enuncia que a receita é considerada realizada e, portanto, passível de registro pela Contabilidade, quando produtos ou serviços produzidos ou prestados pela entidade são transferidos para outra entidade ou pessoa física com a anuência dessas e mediante pagamento ou compromisso de pagamento especificado perante a entidade produtora.

O *Princípio do Confronto das Despesas com as Receitas e com os Períodos Contábeis* (competência de exercícios) enuncia que toda despesa diretamente delineável com as receitas reconhecidas em determinado período com elas deverá ser confrontada; os consumos ou sacrifícios de ativos (atuais ou futuros), realizados em determinado período e que não puderam ser associados à receita do período nem às dos períodos futuros, deverão ser descarregados como despesa do período em que ocorrerem. Este princípio é a base de contabilização do ativo diferido.

A *Convenção da Objetividade* enuncia que para procedimentos igualmente relevantes, resultantes da aplicação dos princípios, preferir-se-ão, em ordem decrescente: a) os que puderem ser comprovados por documentos e critérios objetivos; b) os que puderem ser corroborados por consenso de pessoas qualificadas da profissão, reunidas em comitês de pesquisa ou em entidades que têm autoridade sobre princípios contábeis.

A *Convenção da Materialidade* enuncia que o contador deverá, sempre, avaliar a influência e materialidade da informação evidenciada ou negada para o usuário à luz da relação custo–benefício, levando em conta aspectos internos do sistema contábil.

A *Convenção do Conservadorismo* enuncia que entre conjuntos alternativos de avaliação para o patrimônio, igualmente válidos, segundo os *princípios fundamentais*, a Contabilidade escolherá o que apresentar o menor valor atual para o ativo e o maior para as obrigações.

A *Convenção da Consistência* (ou Uniformidade) enuncia que a Contabilidade de uma entidade deverá ser mantida de forma tal que os usuários das demonstrações contábeis tenham possibilidade de delinear a tendência dela com o menor grau de dificuldade possível.

Um conceito importante na normatização norte-americana é o do *fair value* (valor justo) contraposto em muitas regras com o *custo* como *base de valor*. Na *Accounting Principles Board Opinion* nº 29 - APB 29 –, *fair value* é definido como:

> [...] *the estimated realizable value in cash transactions of the same or similar assets, quoted market prices, independent appraisals, estimated fair values of assets or services received in exchange, and other avaiable evidence.*

Para a FASB, *fair value* não é um conceito genérico; cada norma que o aborda o conceitua especificamente e define como deve ser obtido/mensurado.

Principais Diferenças entre os Critérios e Divulgações Contábeis Brasileiros e Norte-americanos

Basicamente as *demonstrações financeiras* obrigatórias para fins de evidenciação são as mesmas tanto no Brasil como nos Estados Unidos, exceto que no Brasil é feita a DOAR (Demonstração de Origens e Aplicações de Recursos) e nos Estados Unidos, a DFC (Demonstração do Fluxo de Caixa).

As mutações do patrimônio líquido também são abordadas de maneira diferente nos dois países.

A seguir apresentaremos um panorama sobre as principais normas USGAAP praticadas atualmente que divergem da prática contábil brasileira. O assunto é vasto e pleno de blibliografia normativa e didática em língua inglesa. Faremos, portanto, apenas uma descrição sucinta dos pontos que achamos mais relevantes. Para que o profissional possa entender razoavelmente do assunto, é necessário um estudo mais acurado.

Valor presente de contas a receber de clientes e a pagar a fornecedores

Atualmente no Brasil não é necessário efetuar nenhum ajuste. Já nos Estados Unidos, conforme a *Accounting Principles Board Opinion* nº 21 – APB 21, o ajuste a valor presente é requerido para contas a receber e a pagar de longo prazo, quando essas não contemplam nenhuma indexação ou taxa de juros implícita ou quando a taxa de juros contemplada nos títulos for anormal em relação às taxas de mercado praticadas nas datas de emissão dos títulos.

Investimentos

Nos Estados Unidos os investimentos podem ser avaliados pelo método de custo ou equivalência patrimonial quando o investidor detenha de 20% até 50% de participação no capital votante da investida; no caso de deter mais de 50% de participação, deve-se proceder à consolidação.

No Brasil aceita-se também o método do custo, e o método da equivalência patrimonial é aplicável a todos os investimentos, desde que relevantes, em empresas de que se participe com 20% ou mais do capital social, o que abrange todas as controladas e todas as coligadas de que se tenha mais de 20%. Ou ainda, no caso em que se tenha mais de 10% (coligada), porém influência nas decisões da coligada, dever-se-á aplicar o método da equivalência patrimonial. Companhias abertas que tiverem mais de 30% do seu patrimônio líquido representado por investimentos em controladas devem consolidar suas demonstrações financeiras.

Ágio

Nos Estados Unidos o valor referente aos intangíveis negociados, quando da aquisição de uma empresa, origina o *goodwill* que é contabilizado na investida e não possui amortização, devendo ser submetido a teste de *impairment* anualmente.

No Brasil o ágio é determinado pela diferença entre o valor pago comparado com a equivalência no patrimônio líquido da investida.

Imobilizado

Nos Estados Unidos não é admitida a reavaliação expontânea de ativos, exceto no caso de aquisição de participações societárias.

De acordo com o SFAS 13, as operações de arrendamento (*leasing*) denominadas, classificadas contabilmente como *capital leases* (*leasing* financeiro), são registradas no ativo imobilizado, tendo em contrapartida um financiamento oneroso. No Brasil essas operações são consideradas de arrendamento operacional, não havendo o registro do imobilizado nem da dívida, mas sim, despesas de aluguel, ativando-se no imobilizado apenas o valor residual garantido do bem arrendado (valor não financiado do bem).

Os prazos de depreciação praticados nos Estados Unidos são menores do que os do Brasil (por exemplo, veículos no Brasil são cinco anos, enquanto nos Estados Unidos são três; móveis e utensílios no Brasil são dez anos, e nos Estados Unidos, sete anos). Para fins de uniformidade normalmente as matrizes de empresas americanas solicitam às suas filiais e subsidiárias no exterior que ajustem as despesas de depreciação de maneira que fiquem de acordo com os prazos praticados nas matrizes.

Diferido

No Brasil, os custos e despesas diferidos, como, por exemplo, despesas pré-operacionais, custos de pesquisa e desenvolvimento, custos de prospecção mineral e todos aqueles que contribuirão para a formação do resultado de mais de um exercício social, inclusive os juros pagos ou creditados aos acionistas durante o período que anteceder o início das operações sociais, são classificados no ativo diferido.

Nos Estados Unidos estes custos e despesas são contabilizados diretamente como despesas operacionais.

Contingências

Nos Estados Unidos, conforme o SFAS 5, as contingências devem ser classificadas em três categorias: a) perda provável – deve ser efetuada provisão que reflita o valor estimado da perda, com divulgação em nota explicativa; b) perda possível – deve ser divulgada em nota explicativa, informando a natureza e situação da contingência e o valor estimado; c) perda remota – não é necessária nenhuma divulgação em nota explicativa ou reconhecimento de passivo exigível.

Transações Não Monetárias

No Brasil a reavaliação de ativos por ocasião de capitalização com bens é facultativa para empresas formadas como sociedades limitadas.

A regra geral estabelecida pela APB 29 (que regula a contabilização de transações não monetárias) é que a contabilização de transações não monetárias deve basear-se no *fair value* dos ativos envolvidos.

A seguir, exporemos sucintamente um descritivo de algumas normas USGAAP relevantes na atualidade:

SEC = SAB 101 (*Staff Accounting Bulleting* 101):
- Emissão – 3/12/1999 – SAB 101.
- Obrigatoriedade: desde 31/10/2000 (4o. ITR 2000).
- Não altera nenhum critério já existente.
- Enfatiza a aplicação dos procedimentos e regras existentes.
- Visa ao adequado reconhecimento da receita nas demonstrações financeiras.

Quesitos simultâneos necessários para o reconhecimento de receitas:

1. Há evidência objetiva de que existe um acordo/negociação entre vendedor e comprador?
2. Houve a entrega do produto ou o prestação do serviço?

3. O preço firmado com o comprador é fixo ou determinável?
4. Há evidência objetiva de que a cobrança do valor envolvido é razoavelmente garantida?

AICPA SOP 98 - 5 (*Statement of Position* 98 - 5) *Start up activities*

❏ Custos e despesas de pré-operação são lançados no resultado.

❏ Exemplos de custos e despesas não diferíveis:

Abertura de nova fábrica

Treinamento

Custos e despesas pré-operacionais (salários, aluguéis, viagens depreciação de bens em uso etc.)

Custos de organização (legais, administrativos etc.)

Lançamento de novos produtos

USGAAP - SFAS 13 - *ACCOUNTING FOR LEASES*

Arrendamento é um contrato em que um arrendador, que possui um ativo, dá o direito de uso desse ativo para um arrendatário por um prazo de tempo e aluguel acordado.

Arrendamento financeiro (*capital leases*) cobre a vida útil do ativo e transfere todos os riscos e recompensas da propriedade de um ativo para o arrendatário.

Arrendamento operacional (*operational leases*) há variedade de arrendatários durante a vida útil do ativo.

Se o arrendatário tiver a opção de comprar o ativo por um preço que se espera seja tão abaixo do valor justo na data em que a opção puder ser exercida que, no começo do arrendamento, já será razoavelmente certo de que a opção será exercida, os pagamentos mínimos dos arrendamentos compreenderão os aluguéis mínimos pagáveis durante o período do arrendamento e o pagamento necessário para exercer a opção de compra.

O IASC, por meio de sua secretaria, emitiu um esquema básico para classificar os arrendamentos:

a) Propriedade transferida no final do prazo do arrendamento?
   Se sim, arrendamento financeiro.
   Se não, pergunta b.
b) O arrendamento contém opção de compra?
   Se sim, arrendamento financeiro.
   Se não, pergunta c.
c) O prazo de arrendamento cobra a maior parte da vida útil do ativo?
   Se sim, arrendamento financeiro.
   Se não, pergunta d.
d) O valor atual dos pagamentos mínimos do arrendamento é maior do que, ou substancialmente igual a, o valor justo do ativo?
   Se sim, arrendamento financeiro.
   Se não, arrendamento operacional.

Segundo a norma norte-americana SFAS 13, mesmo que o formato jurídico do contrato seja de arrendamento operacional, se ocorrer uma das seguintes características, o arrendamento será considerado financeiro para fins de contabilização:

- Opção de compra do tipo 'barganha', ou seja, quando o valor de compra residual é muito inferior ao valor justo (*fair value*).
- Prazo de pagamento calculado em 75% ou mais do prazo de vida útil do bem arrendado.
- Valor dos aluguéis cobre 90% do valor justo de mercado.
- Manutenção e seguro do bem por conta da arrendatária.

Contabilização:
- Arrendamento operacional – as prestações são despesas operacionais do exercício.

❏ Arrendamento financeiro – o bem deve ser ativado pelo menor dos valores:
- Valor presente das prestações (sem juros)
- Valor justo de mercado.

O ativo deve ser depreciado normalmente.

SFAS 34 – Capitalização de Juros

Esta norma não difere da aplicável às companhias abertas brasileiras submetidas à normatização e fiscalização da CVM, no entanto as empresas que não têm ações negociadas em bolsas de valores no Brasil, não estão obrigadas a essa regra.

❏ Juros sobre financiamento de ativo de longa duração em construção incorporam-se ao custo do ativo objeto.
❏ Não há necessidade de vínculo explícito do passivo com o ativo de longa duração em formação
❏ Elementos:
- Definir os ativos em formação objeto de financiamento.
- Período de formação/construção do ativo permanente.
- Taxa de juros a ser atribuída.

❏ Limitado à despesa de juros do período (juros futuros não devem ser ativados).
❏ *Disclosure* obrigatório de valores capitalizados durante o período.

USGAAP – Conversão de Demonstrações Financeiras – SFAS52

Passo 1 ■ Equalizar as práticas contábeis

Ajustar as diferenças existentes entre os princípios adotados pela afiliada e pela matriz.

Esse processo deve ser feito fora dos livros (*off-book adjustments*).

Os ajustes, em geral, têm efeito cumulativo, devendo ser controlados mediante registros auxiliares que os identifiquem.

Passo 2 ■ Efetuar o processo de *translation* (conversão de moedas das demonstrações financeiras).

Definição de taxas de câmbio:

- **HISTÓRICA**: existente no momento da transação.
  - Média ponderada do período – aproximação, tendo em vista o custo-benefício da informação
- **CORRENTE**: existente na data de conversão da demonstração financeira.

Critérios de conversão:

- Ativos e passivos convertidos pela taxa de câmbio corrente ➢ **EXPOSTOS**
- Ativos e passivos convertidos pela taxa de câmbio histórica ➢ **NÃO EXPOSTOS**

Método da Taxa Corrente

Todas as contas do ativo e passivo são convertidas utilizando-se a taxa de câmbio vigente na data do encerramento do balanço.

Portanto as contas são convertidas à taxa corrente.

Os itens do patrimônio líquido (inclusive demonstração de resultado = receitas e despesas, que simplificadamente podem ser convertidas pela taxa cambial média ponderada do período) são convertidos pela taxa histórica gerando um ajuste cambial alocado em reservas de lucros como *Cumulative Translation Adjustment* (*comprehensive income*).

Critério Monetário e Não Monetário

Os ativos e passivos monetários devem ser convertidos à taxa corrente e os ativos e passivos não monetários, à taxa histórica.

Ativos e passivos monetários são aqueles cujos valores são fixados em forma de unidades monetárias (caixa e equivalentes de caixa, duplicatas a receber, fornecedores, contas a pagar, impostos a recolher etc.).

Ativos e passivos não monetários são todos aqueles não enquadrados na definição anterior (estoques, ativo imobilizado, investimentos permanentes etc.).

Método Temporal

Leva em consideração o fator tempo. Foi o método utilizado no SFAS 8, substituído pelo SFAS 52. Esse último adota a terminologia *remensuração* para método temporal.

- ❑ Variação do Critério Monetário/Não Monetário.
    - Se o estoque estiver demonstrado pelo *valor de mercado*, haverá *conversão pela taxa corrente*.
    - Ajuste cambial a valor presente de contas a receber e a pagar.

Moeda Funcional

É a moeda que, usualmente, a afiliada de uma empresa multinacional gera e gasta caixa (movimenta caixa). Em geral é a moeda do país onde a entidade está localizada. Para países com hiperinflação (100% acumulados em 3 anos consecutivos), a moeda funcional será o dólar norte-americano.

Moeda de Relatório

É a moeda utilizada pela matriz para preparar os seus próprios demonstrativos financeiros. Nas empresas norte-americanas é o dólar.

Metodologia do SFAS 52

a) Demonstrações financeiras em moeda local de acordo com USGAAP.
b) Determinação da moeda funcional
c) Demonstrações financeiras expressas na moeda funcional (remensuração, se aplicável) com reconhecimento na DRE dos ganhos e perdas cambiais (*Exchange Gains or Losses* – EG/L).
d) As demonstrações financeiras em moeda funcional devem ser convertidas em moeda de relatório usando o Método da Taxa Corrente, gerando o CTA.

- CTAs não são incluídos no resultado do período, mas ficam em reservas de lucros (na subconta OCI – *Other Comprehensive Income*).

USGAAP – SFAS 87/88 E 106 –
PENSIONS AND OTHER POSTRETIREMENT BENEFITS

Os planos de pensão são classificados como de *benefício definido* ou de *contribuição definida*.

Para planos de pensão de contribuição definida temos:

- contribuição é previamente determinada;
- o risco ligado ao benefício pertence ao empregado;
- as despesas por conta da patrocinadora são reconhecidas quando incorridas;
- as divulgações em notas explicativas são pouco requeridas.

Para planos de pensão de benefícios definidos temos:

- benefício de aposentadoria é determinado;
- o risco ligado ao benefício pertence à empresa;
- as despesas são reconhecidas baseando-se em cálculos atuariais e em bases pro rata durante o período de serviço do empregado;
- as divulgações em notas explicativas são requeridas.

O objetivo principal da norma SFAS 87 é mensurar os custos de compensação associados aos benefícios dos funcionários e reconhecer esse custo ao longo do período de trabalho deles.

O SFAS 87 especifica o regime de competência de exercício para os custos com pensões.

A principal ênfase da norma é no valor presente da obrigação de pensão e no valor justo (*fair value*) dos ativos do plano. O desafio na contabilização limita-se à despesa que deve ser reconhecida na demonstração do resultado e no passivo a ser provisionado no balanço patrimonial.

A norma apresenta as seguintes características:

1. Reconhecimento postergado (mudanças não são reconhecidas de imediato, mas subseqüentemente de maneira gradual e sistemática).
2. Reporte do custo líquido (valores de vários itens são reportados como um montante líquido).
3. Os ativos e passivos normalmente são mostrados de maneira líquida.

Todos os custos de pensão incorridos devem ser alocados ao resultado do período, não há hipótese em que algum tipo de custo possa ser alocado diretamente a resultados acumulados.

Tratando-se de obrigações de longo prazo, flutuações de curto prazo em preços e taxas de juros e outros fatores podem ter seus efeitos postergados mediante uma maneira racional e sistemática de amortização, gerando o custo líquido periódico de pensão (*net periodic pension cost*).

Para calcular o custo líquido periódico de pensão deve-se computar o ABO (*Accumulated Benefit Obligation*) e o PBO (*Projected Benefit Obligation*).

O ABO e o PBO são determinados atuarialmente usando o valor presente atuarial dos benefícios obtidos. O ABO é calculado pela referência ao nível de remuneração atual do empregado. Já o PBO leva em consideração possíveis acréscimos salariais até a obtenção do benefício pelo empregado.

O SFAS 88 é diretamente relacionado com o SFAS 87, estabelecendo padrões a serem seguidos por empregadores de planos de pensão de benefício definido quando as obrigações ou benefícios iniciam-se.

A contabilização dos OPEB (*Other Postretirement Benefits*) segue em geral o modelo fundamental estabelecido para as pensões e aplica-se a todas as formas de benefícios pós-aposentadoria.

O SFAS 106 considera esses OPEB como compensação diferida e exige a contabilização por competência (*accrual*).

Os termos do contrato individual devem governar a contabilização da obrigação do empregador, e os custos devem ser atribuídos ao longo do período de trabalho até que a elegibilidade aos benefícios seja efetivada.

A APBO (*Accumulated Postretirement Benefit Obligation*) é a parcela, em determinada data, de todos os benefícios futuros atribuíveis ao trabalho por um empregado até essa data. Ele representa a porção da EPBO (*Expected Postretirement Benefit Obligation*) ganha até a data.

A EPBO é o valor presente atuarial APV (*Actuarial Present Value*), representando, portanto, a expectativa dos benefícios a serem pagos ao empregado e beneficiários na data do cálculo.

Quando a total elegibilidade ao benefício é atendida, a APBO iguala à EPBO. A APBO é calculado por EPBO x (anos de serviço/total de anos quando totalmente elegível).

O SFAS 132 apenas reformou as necessidades de evidenciação (*disclosure*) das normas SFAS 87, 88 e 106.

USGAAP – *Statement of Cash Flows* (SCF) – SFAS 95

Introdução

O propósito primário da demonstração de fluxo de caixa (*Statement of Cash Flows* – SCF) é prover informação acerca dos recebimentos e pagamentos de caixa de uma entidade durante um período.

Um segundo propósito é fornecer informação a respeito de atividades de investimento e financiamento de uma entidade durante um período.

Especificamente, a SCF deve ajudar investidores e credores a detectar:

a) a habilidade em gerar fluxos de caixa futuros positivos;
b) a habilidade em saldar obrigações e pagar dividendos;
c) as razões das diferenças entre lucro e recebimentos e pagamentos de caixa;
d) os aspectos de caixa e não caixa das transações de investimento e financiamento das entidades.

O Projeto de Modelo Conceitual da FASB, em particular o SFAC1, estabelece que "o reporte financeiro deve prover informação que seja útil a investidores atuais e potenciais, credores e outros usuários para efetuarem decisões racionais de investimento e crédito" (tradução nossa).

Desde que o objetivo final de decisões de investimento e crédito é a maximização de fluxos líquidos de caixa, a informação para detectar os montantes, momento e incerteza dos fluxos de caixa prospectivos é necessária.

O SFAC 5 dá atenção particular à *demonstração de resultado*.

Ele também aborda a questão de qual demonstração financeira deve ser apresentada e a contribuição de cada demonstração ao reporte financeiro. O SFAC 5 conclui que as demonstrações financeiras precisam mostrar o fluxo de caixa durante o período para que sejam completas.

A FASB exige a evidenciação das seguintes informações:

a) Composição do disponível.
b) Operações que não afetam caixa como, por exemplo, o uso de um ativo decorrente de um *leasing*.
c) Conciliação com o lucro líquido, quando utilizado o método direto.
d) Explicação do saldo líquido de caixa caso o fluxo de caixa não especifique cada item.
e) O efeito da flutuação da taxa de câmbio sobre o saldo de caixa em moeda estrangeira.

Além disso, deve demonstrar a quantia de juros e imposto de renda pagos.

Definição de Termos

Atividades de financiamento: Transações que uma empresa se envolve para adquirir e refinanciar capital (ou seja, empréstimos, emissão de capital, refinanciamentos etc).

Atividades de investimento: Transações que a empresa se envolve que afetam seus investimentos em ativos (por exemplo, compra ou venda).

Atividades operacionais: Transações não classificadas como atividades de financiamento ou investimento, geralmente envolvendo produção e entrega de bens ou fornecimento de serviços.

Equivalentes de caixa: Investimentos altamente líquidos, de curto prazo, que:

a) são imediatamente conversíveis para conhecidos montantes de caixa;
b) são tão próximos de sua maturação (de três meses ou menos da data de compra pela empresa) que eles apresentam riscos negligenciáveis de mudança de valor em virtude de alterações nas taxas de juros. Por exemplo: notas do tesouro, *commercial paper* e fundos do mercado monetário.

Método Direto: Método que deriva o caixa líquido fornecido pelas atividades operacionais dos componentes de recebimentos e pagamentos operacionais de caixa contrapostos com o lucro líquido ajustado por itens que não afetam os fundos.

Método Indireto (Reconciliação): Método que deriva o caixa líquido fornecido pelas atividades operacionais, ao ajustar o lucro líquido pelos itens de receita e despesa não resultantes de transações de caixa.

Classificação

A demonstração do fluxo de caixa (SCF) requer classificação nessas três categorias: atividades de investimento, atividades de financiamento e atividades operacionais.

Atividades de investimento: incluem a aquisição e disposição de ativos produtivos de longo prazo ou valores mobiliários que não são considerados equivalentes de caixa. Atividades de investimento também incluem empréstimos concedidos.

Atividades de financiamento: incluem obtenção e devolução de recursos aos proprietários. Também está inclusa a obtenção de recursos de credores e o pagamento desses montantes.

Atividades operacionais: incluem todas as transações que não são atividades de investimento e financiamento. Atividades operacionais incluem entrega ou produção de bens e a venda e fornecimento de serviços.

As atividades de financiamento e investimento não caixa devem ser evidenciadas após a demonstração ou em notas explicativas. São exemplos:

- Aquisição de ativo por meio de *capital lease*;
- Conversão de débito em participação societária;
- Troca de ativos ou passivos não caixa por outros ativos ou passivos não caixa;
- Emissão de capital para adquirir ativos.

Apresentação de atividades operacionais (método direto versus método indireto): A parte de atividades operacionais da demonstração de fluxo de caixa pode ser apresentada sob o método direto ou indireto. Entretanto, a FASB tem expressado uma preferência pelo método direto de apresentar o caixa líquido das atividades operacionais.

O método direto mostra os itens que afetaram o fluxo de caixa.

São apresentados os caixas recebidos e os caixas pagos, em oposição à conversão do lucro pelo regime de competência para informação de fluxo de caixa.

As entidades que utilizam o método direto são requeridas a reportar as seguintes classes de recebimentos e pagamentos operacionais de caixa:

a) Caixa recebido de clientes;
b) Juros e dividendos recebidos;
c) Caixa pago a empregados e outros fornecedores;

d) Juros e imposto de renda pagos;

e) Outros recebimentos e pagamentos operacionais de caixa.

O método direto permite ao usuário entender o relacionamento entre o lucro líquido de uma empresa e seu fluxo de caixa.

Note que quando o método direto é utilizado, é necessário fornecer um detalhe separado reconciliando o lucro líquido com o fluxo líquido de caixa das atividades operacionais.

O método indireto é a apresentação mais amplamente utilizada de caixa de atividades operacionais, principalmente em virtude da facilidade de preparo. Ele enfoca as diferenças entre lucro líquido e fluxo de caixa. O formato indireto inicia com o lucro líquido.

Itens de despesas e receitas que não afetam o caixa são adicionados ou deduzidos para chegar ao caixa líquido fornecido pelas atividades operacionais.

Outros Requisitos

Base bruta versus *base líquida*: A ênfase no demonstrativo de fluxo de caixa é em recebimentos e pagamentos brutos de caixa.

A FASB especifica umas poucas exceções onde o uso de fluxo de caixa líquido é permitido.

Itens com giro rápido, grandes montantes e curtas maturações podem ser apresentados como fluxo de caixa líquido, se os recebimentos e pagamentos de caixa relacionarem-se a:

a) investimentos (que não equivalentes de caixa);

b) empréstimos recebíveis;

c) débitos (vencimento original de três meses ou menos).

Efeitos da taxa de câmbio: Operações externas precisam de uma demonstração de fluxo de caixa em separado, e a tradução da demonstração para a moeda de relatório. Essa demonstração traduzida é então usada na preparação da demonstração consolidada de fluxo de caixa. Ganhos e perdas não caixa da conversão reconhecidos na demonstração de resultado devem ser reportados como um item separado, quando da reconciliação do lucro líquido com as atividades operacionais.

Fluxo de caixa por ação: Esta informação **não** deve ser reportada nas demonstrações financeiras de uma empresa.

Entidades não obrigadas a apresentar a SCF:

❑ O SFAS 102, intitulado SCF – *Exemption of Certain Enterprises and Classification of Cash Flows from Certain Securities Acquired for Resale*, dita que o SCF não é requerido por planos de pensão definidos que apresentam a informação financeira sob a orientação do SFAS 35.

Empresas de investimento ou fundos de aplicações financeiras não são requeridos a apresentar o SCF se as seguintes condições ocorrerem:

a) Substancialmente todos os investimentos da entidade forem altamente líquidos;

b) Os investimentos da entidade forem contabilizados pelo valor de mercado;

c) A entidade tiver pouco ou nenhum débito, baseado na média de débitos do período, em relação à média total de ativos;

d) A entidade fornecer a demonstração de mudanças nos ativos líquidos.

O SFAS 104, intitulado SCF – *Net Reporting of Certain Cash Receipts and Cash Payments and Classification of cash Flows from Hedging Transactions*, estabelece que bancos, instituições de poupança e sindicatos de crédito estão permitidos a reportar recebimentos e pagamentos líquidos para as seguintes situações:

a) depósitos colocados em outras instituições financeiras;

b) saques de depósitos;

c) depósitos temporários aceitos;

d) reembolso de depósitos;

e) empréstimos feitos a clientes;
f) empréstimos a receber.

O SFAS 117 complementou o SFAS 95 ao estender suas provisões a organizações sem fins lucrativos.

Consolidação da SCF: Uma SCF consolidada deve ser apresentada quando um conjunto completo de demonstrações financeiras for emitido. A SCF consolidada deve ser a última demonstração a ser preparada uma vez que a informação para confeccioná-la vem de outras demonstrações consolidadas (balanço patrimonial, DRE e demonstração de lucros acumulados consolidados). (A respeito de consolidação de demonstrações financeiras, consulte os SFASs 38, 79 e 94.)

Todas as eliminações de operações intercompanhias foram eliminadas nas demais demonstrações financeiras, assim, não há ajuste adicional nenhum a ser feito para a confecção da SCF consolidada.

USGAAP – FASB – *STATEMENT* 109 –
CONTABILIZAÇÃO DO IMPOSTO DE RENDA

Introdução

O SFAS 109 foi emitido em fevereiro de 1992, substituindo o SFAS 96, de dezembro de 1987. Não é permitido o desconto a valor presente, embora as datas de realização de benefícios fiscais ou de pagamento de obrigações freqüentemente estejam no futuro de longo prazo.

O SFAS 109 não faz distinção entre perdas operacionais e diferenças temporárias dedutíveis. Os efeitos de ambas são reportados como imposto diferido ativo. A alíquota a ser usada é aquela esperada (ou média) em ser aplicada na época da reversão das diferenças temporárias.

Termos Utilizados

Diferenças temporárias dedutíveis: Diferenças temporárias que resultam em deduções futuras em impostos; elas dão origem ao imposto de renda diferido ativo.

Imposto de renda diferido ativo: Imposto de renda diferido, conseqüente de diferenças temporárias que resultarão em deduções em anos futuros.

Imposto de renda diferido passivo: Imposto de renda diferido, conseqüente de diferenças temporárias que resultarão em montantes tributáveis em anos futuros.

Ganhos e perdas incluídos no lucro acumulado, porém excluídos do lucro líquido: Certos itens que, sob os GAAP, são eventos que ocorrem correntemente mas são reportados diretamente no patrimônio líquido, tais como mudanças em valores de mercado de investimentos permanentes no mercado de capitais.

Alocação de impostos entre períodos: Processo de alocar depesas com imposto de renda entre períodos sem observar o momento de pagamento em dinheiro. O objetivo é refletir completamente as conseqüências de impostos de todos os eventos reportados nas demonstrações financeiras atuais ou anteriores e, em particular, reportar os efeitos tributários esperados da reversão de diferenças temporárias existentes na data de reporte.

Alocação de impostos intraperíodos: O processo de alocar despesa de imposto de renda aplicável a um dado período entre o lucro e os itens requeridos de serem mostrados líquidos de impostos,

Perda operacional compensável: O excesso de deduções fiscais sobre a receita tributável. Como a conseqüência disso resulta em uma compensação fiscal posterior, o efeito fiscal é incluído no imposto de renda diferido ativo da entidade.

Diferenças permanentes: Diferenças entre o lucro antes do imposto de renda e o lucro tributável resultante do tratamento do regulamento de imposto de renda para certas transações que difere do tratamento contábil. As diferenças permanentes não são reversíveis nos períodos subseqüentes.

Lucro antes do imposto de renda: Lucro ou prejuízo do período contabilizado de acordo com os GAAP sem considerar as despesas de imposto de renda do período.

Lucro tributável: Diferença entre receitas e despesas como definido pelo Regulamento do Imposto de Renda para um período fiscal sem considerar as deduções especiais (ou seja, os prejuízos fiscais).

Diferenças temporárias tributáveis: Diferenças temporárias que resultam em montantes tributáveis futuros; elas dão origem ao imposto de renda passivo.

Créditos tributários: Reduções no imposto de renda a pagar como resultado de certos gastos com tratamento especial pelo Regulamento do Imposto de Renda. Incentivo à cultura é um exemplo.

Estratégia de planejamento tributário: Ação da administração da entidade representada por transações planejadas que irão afetar os anos futuros nos quais as diferenças temporárias resultarão em montantes dedutíveis ou tributáveis.

Diferenças temporárias: Em geral são as diferenças entre as bases de reporte de ativos e passivos contábeis e tributários que irão resultar em montantes tributáveis ou dedutíveis em períodos futuros.

Benefícios fiscais não reconhecidos: Benefícios fiscais diferidos contra os quais uma provisão foi estabelecida na data das demonstrações financeiras.

Alocação de Imposto de Renda entre Períodos

O SFAS 109 estabelece o método de alocação completa de imposto de renda entre períodos. Ele requer a provisão de imposto de renda de todos os itens de receita e despesa reportados na demonstração de resultado, não importando se entraram ou não na determinação do imposto de renda a pagar, com exceção das **diferenças permanentes** para as quais não é provisionado o imposto de renda diferido. **Todas** as diferenças temporárias são objeto da contabilização do imposto de renda diferido.

Diferenças temporárias referem-se a itens de receita ou lucro que entraram na determinação do lucro tributável em períodos diferentes em que entraram nas demonstrações financeiras. Exemplos comuns são: depreciação acelerada, imposto de renda antecipado, provisão para devedores duvidosos, diferenças entre o regime de caixa e o regime de competência de exercícios, ágio/deságio na aquisição de investimentos etc.

Ao analisar os itens de diferença entre tratamentos fiscais e contábeis, é importante identificar os *períodos onde se originam e aqueles em que se revertem*.

Quando uma diferença não possui uma reversão esperada definida, é possível que a diferença seja de cunho permanente.

Mensuração de Despesas

Um grande número de teorias tem sido desenvolvido ao longo dos anos a respeito da computação de despesa de imposto de renda quando existem diferenças temporárias.

As mais populares são a do *método diferido* (APB11) e a do *método passivo* (SFAS 96 e 109). Uma terceira abordagem, a do *método líquido de imposto*, tem sido bem acatada academicamente, mas menos empregada na prática.

O método diferido é complexo de aplicar e algumas vezes resulta em aparentes distorções no balanço patrimonial.

Ele determina que a despesa de imposto de renda para o período seja baseada no lucro contábil, enquanto o passivo circulante é baseado no lucro tributável. A diferença entre o passivo circulante atual e a despesa de imposto de renda é tratada ou como um imposto diferido ou como um crédito que será amortizado à medida que as diferenças temporárias forem revertidas. As diferenças temporárias que se originam no período são referidas como diferenças originais, enquanto a reversão dos efeitos tributários das diferenças originadas em períodos anteriores são referidas como diferenças revertidas.

O efeito tributário da diferença temporária deve ser medido pela diferença entre o imposto de renda computado com e sem a inclusão da transação criadora da diferença.

Quando muitas diferenças ocorrem no mesmo período, o cálculo do ajuste de imposto de renda diferido torna-se mais complicado.

Método Passivo

O método passivo é orientado para o *balanço patrimonial*, em contraste direto com o método diferido que é orientado para a *demonstração de resultado*.

O primeiro objetivo do método passivo é apresentar o imposto de renda atual estimado a ser pago nos períodos futuros como um imposto de renda a pagar no balanço patrimonial.

Para atender a esse objetivo é necessário considerar o efeito de certas mudanças no futuro de alíquotas ao computar-se a provisão de imposto de renda do presente período.

A computação do montante de imposto de renda diferido é baseada na alíquota esperada a ser efetivada quando as diferenças temporárias forem revertidas.

A computação anual é considerada uma tentativa de estimativa do passivo (ou ativo) que estará sujeito a mudanças, uma vez que as alíquotas mudam.

A aplicação do método passivo é conceitualmente mais simples comparada com a do método diferido. O primeiro passo é estabelecer o imposto de renda a pagar o mais acuradamente possível. Isso é obtido multiplicando as diferenças temporárias agregadas não revertidas, incluindo as originadas no período em referência, pela alíquota futura esperada para determinar o passivo futuro esperado. Esse passivo é o montante apresentado no balanço patrimonial ao final do período. A diferença entre esse montante e o montante de livros no início do período é a despesa de imposto de renda diferido para o período.

A alíquota futura esperada é baseada nos patamares históricos de tributação da entidade.

Embora conceitualmente o método passivo seja razoavelmente direto, na prática contábil ocorrem algumas complexidades.

Como exemplo delas podemos citar: a natureza das diferenças temporárias; a mensuração dos impostos diferidos ativos e passivos; a valoração da provisão de imposto de renda diferido ativo que seja 'mais possível que não' de não ser realizado; o efeito das mudanças na legislação do imposto de renda em impostos de renda ativos e passivos previamente registrados; os efeitos tributários de combinações de negócios; a alocação de imposto de renda intercompanhias etc.

A Natureza das Diferenças Temporárias

A maioria das transações de uma empresa tem tratamento idêntico na contabilidade societária e fiscal. Entretanto, alguns eventos e transações têm implicação contábil e fiscal divergentes. O *goodwill* (ágio) é um possível exemplo.

Pela legislação fiscal americana, desde 1993, o *goodwill* pode ser amortizado em quinze anos, e, assim, se o período de amortização para reporte financeiro for outro que não quinze anos, esse item representará uma diferença temporária conforme definido pelo SFAS 109. Custos de organização, por outro lado, representarão uma diferença permanente.

A seguir, apresentamos outros exemplos de diferenças temporárias:

Receitas reconhecidas em reporte financeiro antes de serem reconhecidas para efeitos tributários: Certas receitas de contratos de construção reconhecidas fiscalmente pelo método do contrato-completo e em base de percentual de execução para fins de reporte financeiro. Isso dá origem ao imposto de renda diferido passivo.

Receitas reconhecidas para propósitos fiscais antes de serem reconhecidas para efeitos de reporte financeiro: Certas receitas recebidas antecipadamente, como aluguéis antecipados ou adiantamento de serviços a serem prestados. São diferenças temporárias dedutíveis e dão origem ao imposto de renda diferido ativo.

Despesas dedutíveis para fins fiscais não reconhecidas no reporte financeiro: Depreciação acelerada para fins fiscais e depreciação normal para reporte financeiro; despesas com *leasing* em relação à depreciação. São diferenças temporárias que dão origem a imposto de renda diferido passivo.

Despesas consideradas no reporte financeiro antes de serem dedutíveis para fins fiscais: Provisões e estimativas de despesas para contingências não aceitas pelo fisco até serem efetivamente devidas. São diferenças temporárias que dão origem ao imposto de renda diferido ativo.

Os prejuízos fiscais acumulados são considerados no balanço patrimonial como créditos tributários (IR ativo) no montante de sua possível realização. No caso de entidades com prejuízos fiscais acumulados historicamente, esses não serão reconhecidos no balanço patrimonial uma vez que sua realização seja duvidosa, ou ainda, serão reconhecidos, porém será feita uma provisão diminuindo-os a sua real proporção.

USGAAP – FASB – *Statement* 115 –
Contabilização de Certos Investimentos em Títulos ou Valores Mobiliários

O SFAS 115 refere-se à contabilização e apresentação nas demonstrações financeiras de:

- Todos os investimentos em títulos ou valores mobiliários representativos de dívida do emissor (*debt securities*);
- Os investimentos em títulos ou valores mobiliários representativos de participação societária no patrimônio do emissor (*equity securities*), cujo valor justo possa ser prontamente determinável, mediante a utilização de preços de venda ou cotações de compra e venda instantaneamente disponíveis em bolsas de valores ou mercados de balcão.

O SFAS 115 não se aplica aos:

- Investimentos avaliados com base na equivalência patrimonial;
- Investimentos incluídos nas demonstrações financeiras consolidadas;
- Recebíveis, como duplicatas a receber, clientes, parcelamento de vendas a consumidor, financiamentos imobiliários e adiantamentos a fornecedores;

❏ Investimentos em outras empresas.

Na aquisição e na data-base de apresentação das demonstrações financeiras, as empresas devem classificar cada um dos títulos ou valores mobiliários representativos de dívida do emissor ou de crédito do emitente em uma das seguintes categorias:

❏ *Held to maturity securities* (mantidos até o vencimento) – avaliados pelo custo amortizado (custo mais juros e encargos contratuais apropriados por competência de exercícios);
❏ *Trading securities* (destinados à negociação) – avaliados pelo valor justo.
❏ *Available for sale* (disponíveis para venda) – avaliados pelo valor justo.

Ganhos não realizados devem ser classificados diretamente em uma conta do patrimônio líquido para serem amortizados.

A FASB entende que os preços cotados em mercado, se disponíveis, proporcionam a mais confiável e verificável medida do valor justo. No caso de os preços cotados em mercado não serem disponíveis, uma razoável estimativa do valor justo deve ser efetuada. As técnicas mais usuais aplicadas de determinação de preço justo são: análise de fluxo de caixa descontado, matrizes de preços, CAPM e análise fundamentalista.

USGAAP – FASB – STATEMENT 133 –
CONTABILIZAÇÃO DE INSTRUMENTOS FINANCEIROS DERIVATIVOS

A norma norte-americana SFAS 133 tem dois grandes componentes: o *disclosure* e o *fair value*.

O *disclosure* ou evidenciação de operações com derivativos deve ser completo, ou seja, deve abranger os valores de ativos e passivos, bem como os resultados das operações com derivativos. É necessário também deixar claro qual a política de risco da empresa e quais os níveis de exposição ao risco. A base de valoração dos derivativos é o *fair value*.

No Brasil a IN/CVM 235 é mais amena e solicita a evidenciação apenas de valores que constem no ativo ou passivo na data a que se referem as demonstrações financeiras. Os valores de contratos financeiros derivativos são contabilizados no Brasil pelo custo de aquisição ajustado a mercado somente se esse for menor.

USGAAP – FASB – *STATEMENT* 141 –
CONTABILIZAÇÃO DE COMBINAÇÕES DE NEGÓCIOS

Esta norma substitui o APB 16 e não aceita o método *Pooling of Interests*, apenas o *Purchase*. Ela mantém o *write off* (eliminação como ativo) de ativos de P&D (SFAS 2).

A SFAS 141 destaca os ativos intangíveis (*goodwill*). O *goodwill* deve ser reconhecido como um ativo porque ele se encaixa na definição de ativos conforme o FASB Concepts Statement nº 6 (*Elements of Financial Statements*) e no critério de reconhecimento de ativos do FASB *Concepts Statements* nº 5 (*Recognition and Measurement in Financial Statements of Business Enterprises*).

O FASB *Concepts Statement* nº 1 (*Objectives of Financial Reporting by Business Enterprises*) estabelece que o reporte financeiro deve prover informação que ajude no dimensionamento de montantes, *timing* e incerteza de fluxos de caixa líquidos prospectivos de uma entidade.

A FASB nota que, em virtude de o método *Purchase* registrar os ativos líquidos (patrimônio líquido) adquiridos em uma combinação de negócios pelos seu valor justo (*fair value*), a informação fornecida por esse método é mais utilizável em dimensionar a capacidade de geração de caixa dos ativos líquidos (patrimônio líquido) adquiridos do que a informação provida pelo método *Pooling*.

Da mesma maneira que no SFAS 13 (*Leasing*), o conceito norteador da visão da Contabilidade em relação à transação, qual seja, a *essência econô-*

mica sobre a forma jurídica, é aplicável a todas as *business combinations* iniciadas após 30 de junho de 2001.

USGAAP – FASB – STATEMENT 142 – GOODWILL E OUTROS ATIVOS INTANGÍVEIS

Esta norma substitui a APB 17 e cria o conceito de *goodwill* não amortizável. Contudo, ela segrega o goodwill em:

a) amortizável
b) não amortizável

Como principais características estão:

❏ Exclui a regra "amortizável até quarenta anos" do APB 17. Infere que, na maioria dos casos o *goodwill* amortizável não tem como horizonte mais que vinte anos.

❏ Exige que seja feita planilha específica, justificando o *goodwill* amortizável com o detalhe de projeção anual.

❏ *Goodwill* e ativos intangíveis que têm vida útil indefinida não serão amortizados.

❏ O *fair value* é obrigatório por ocasião de cada *reporting* (não excedente a um ano).

❏ Aplicável a partir dos anos fiscais começando em 15 de dezembro de 2001.

❏ Aplicação anterior é permitida para entidades com ano fiscal iniciando após 15 de março de 2001.

USGAAP – FASB – *Statement* 143 –
Accounting for Asset Retirement Obligations

O custo inerente a uma desmobilização de um ativo aplicado deve ser reconhecido no período em que é incorrido e capitalizado como valor do ativo, sendo alocado à despesa pelo prazo de vida útil do ativo.

Podemos destacar ainda os seguinte procedimentos:

- Deve-se testar o *impairment* do ativo (SFAS 144);
- O valor a ser capitalizado é baseado no *fair value* da obrigação (desconto a valor presente pela taxa livre de risco);
- Aplicável aos exercícios fiscais, com início após 15 de junho de 2002.

USGAAP – FASB – *Statement* 144 –
Impairment of Disposal of Long Lived Assets

Esta norma foi emitida em 3 de outubro de 2001 e substitui a FASB Statement nº 121, *Accounting for the Impairment of Long-Lived Assets and for Long-Lived Assets to Be Disposed Of.*

Ela estabelece regras mais específicas, especialmente em relação a ativos de longa duração que serão descartados (*for Long-Lived Assets to Be Disposed Of*).

Conforme o *News Release* de 10 de março de 2001, emitido em Norwalk, CT, em 3 de outubro de 2001:

> *The accounting model for long-lived assets to be disposed of by sale applies to all long-lived assets, including discontinued operations, and replaces the provisions of APB Opinion Nº 30, Reporting Results of Operations-Reporting the Effects of Disposal of a Segment of a Business, for the disposal of segments of a business.*
>
> *Statement 144 requires that those long-lived assets be measured at the lower of carrying amount or fair value less cost to sell, whether reported in continuing operations or in discontinued operations. Therefore,*

discontinued operations will no longer be measured at net realizable value or include amounts for operating losses that have not yet occurred.

Statement 144 also broadens the reporting of discontinued operations to include all components of an entity with operations that can be distinguished from the rest of the entity and that will be eliminated from the ongoing operations of the entity in a disposal transaction. In commenting on the new statement, Linda A. MacDonald, Project Manager, stated that, "The new reporting requirements for discontinued operations will allow an entity to more clearly communicate in the financial statements a change in its business that results from a decision to dispose of operations and, thus, provide users with information needed to better focus on the ongoing activities of the entity."

The provisions of Statement 144 are effective for financial statements issued for fiscal years beginning after December 15, 2001 and, generally, are to be applied prospectively. Early application is encouraged.

O SFAS 144 requer que os ativos de longa duração sejam mensurados pelo menor valor entre o montante de carregamento ou o *fair value* menos o custo de venda, mesmo que reportado em operações continuadas ou em operações descontinuadas.

Esta norma é aplicável a demonstrações financeiras emitidas para os anos fiscais começando após 15 de dezembro de 2001.

Formulários da SEC

A SEC – *Securities and Exchange Comission* – em sua função de normatizar e fiscalizar o mercado de capitais norte-americanos, exige que algumas evidenciações sejam efetuadas mediante relatórios pré-formatados, os chamados formulários SEC.

A seguir, extraímos do site da SEC www.sec.gov a descrição sucinta dos formulários mais comuns exigidos pela SEC.

Overview of the Most Common Corporate Filings

The most widely used 1933 Act registration forms are as follows:

S-1	This is the basic registration form. It can be used to register securities for which no other form is authorized or prescribed, except securities of foreign governments or political subdivisions thereof.
S-2	This is a simplified optional registration form that may be used by companies that have been required to report under the '34 Act for a minimum of three years and have timely filed all required reports during the 12 calendar months and any portion of the month immediately preceding the filing of the registration statement. Unlike Form S-1, it permits incorporation by reference from the company's annual report to stockholders (or annual report on Form 10-K) and periodic reports. Delivery of these incorporated documents as well as the prospectus to investors may be required.
S-3	This is the most simplified registration form and it may only be used by companies that have been required to report under the '34 Act for a minimum of twelve months and have met the timely filing requirements set forth under Form S-2. Also, the offering and issuer must meet the eligibility tests prescribed by the form. The form maximizes incorporating by reference information from '34 Act filings.
S-4	This form is used to register securities in connection with business combinations and exchange offers.
S-8	This form is used for the registration of securities to be offered to an issuer's employees pursuant to certain plans.
S-11	This form is used to register securities of certain real estate companies, including real estate investment trusts.
SB-1	This form may be used by certain "small business issuers" to register offerings of up to $10 million of securities, provided that the company has not registered more than $10 million in securities offerings during the preceding twelve months. This form requires less detailed information about the issuer's business than Form S-1. Generally, a "small business issuer" is a U.S. or Canadian company with revenues and public market float less than $25 million.
SB-2	This form may be used by "small business issuers" to register securities to be sold for cash. This form requires less detailed information about the issuer's business than Form S-1.
S-20	This form may be used to register standardized options where the issuer undertakes not to issue, clear, guarantee or accept an option registered on Form S-20 unless there is a definitive options disclosure document meeting the requirements of Rule 9b-1 of the '34 Act.
Sch B	Schedule B is the registration statement used by foreign governments (or political subdivisions of foreign governments) to register securities. Generally, it contains a description of the country and its government, the terms of the offering, and the uses of proceeds.
F-1	This is the basic registration form authorized for certain foreign private issuers. It is used to register the securities of those eligible foreign issuers for which no other more specialized form is authorized or prescribed.
F-2	This is an optional registration form that may be used by certain foreign private issuers that have an equity float of at least $75 million worldwide or are registering non-convertible investment grade securities or have reported under the '34 Act for a minimum of three years. The form is somewhat shorter than Form F-1 because it uses delivery of filings made by the issuer under the '34 Act, particularly Form 20-F.
F-3	This form may only be used by certain foreign private issuers that have reported under the '34 Act for a minimum of twelve months and that have a worldwide public market float of more than $75 million. The form also may be used by eligible foreign private issuers to register offerings of non-convertible investment grade securities, securities to be sold by selling security holders, or securities to be issued to certain existing security holders. The form allows '34 Act filings to be incorporated by reference.

F-4	This form is used to register securities in connection with business combinations and exchange offers involving foreign private issuers.
F-6	This form is used to register depository shares represented by American Depositary Receipts ("ADRs") issued by a depositary against the deposit of the securities of a foreign issuer.
F-7	This form is used by certain eligible publicly traded Canadian foreign private issuers to register rights offers extended to their U.S. shareholders. Form F-7 acts as a wraparound for the relevant Canadian offering documents. To be registered on Form F-7, the rights must be granted to U.S. shareholders on terms no less favorable than those extended to other shareholders.
F-8	This form may be used by eligible large publicly traded Canadian foreign private issuers to register securities offered in business combinations and exchange offers. Form F-8 acts as a wraparound for the relevant Canadian offering or disclosure documents. The securities must be offered to U.S. holders on terms no less favorable than those extended to other holders.
F-9	This form may be used by eligible large publicly traded Canadian foreign private issuers to register non-convertible investment grade securities. Form F-9 acts as a wraparound for the relevant Canadian offering documents.
F-10	This form may be used by eligible large publicly traded Canadian foreign private issuers to register any securities (except certain derivative securities). Form F-10 acts as a wraparound for the relevant Canadian offering documents. Unlike Forms F-7, F-8, F-9, and F-80, however, Form F-10 requires the Canadian issuer to reconcile its financial statements to U.S. Generally Accepted Accounting Principles ("GAAP").
F-80	This form may be used by eligible large publicly traded Canadian foreign private issuers to register securities offered in business combinations and exchange offers. Form F-80 acts as a wraparound for the relevant Canadian offering or disclosure documents. The securities must be offered to U.S. holders on terms no less favorable than those extended to other holders.
SR	This form is used as a report by first time registrants under the Act of sales of registered securities and use of proceeds therefrom. The form is required at specified periods of time throughout the offering period, and a final report is required after the termination of the offering.

1934 Act Registration Statements

All companies whose securities are registered on a national securities exchange, and, in general, other companies whose total assets exceed $10,000,000 ($10 million) with a class of equity securities held by 500 or more persons, must register such securities under the 1934 Act. (See Section 12 of the '34 Act for further information.)

This registration establishes a public file containing material financial and business information on the company for use by investors and others, and also creates an obligation on the part of the company to keep such public information current by filing periodic reports on Forms 10-Q and 10-K, and on current event Form 8-K, as applicable.

In addition, if registration under the 1934 Act is not required, any issuer who conducts a public offering of securities must file reports for the year in which it conducts the offering (and in subsequent years if the securities are held by more than 300 holders).

The most widely used 1934 Act registration forms are as follows:

10	This is the general form for registration of securities pursuant to section 12(b) or (g) of the '34 Act of classes of securities of issuers for which no other form is prescribed. It requires certain business and financial information about the issuer.
10-SB	This is the general form for registration of securities pursuant to Sections 12(b) or (g) of the '34 Act for "small business issuers." This form requires slightly less detailed information about the company's business than Form 10 requires.
8-A	This optional short form may be used by companies to register securities under the '34 Act.
8-B	This specialized registration form may be used by certain issuers with no securities registered under the '34 Act that succeed to another issuer which had securities so registered at the time of succession.
20-F	This is an integrated form used both as a registration statement for purposes of registering securities of qualified foreign private issuers under Section 12 or as an annual report under Section 13(a) or 15(d) of the '34 Act.
40-F	This is an integrated form used both as a registration statement to register securities of eligible publicly traded Canadian foreign private issuers or as an annual report for such issuers. It serves as a wraparound for the company's Canadian public reports.

Interpretive Responsibility:

Division of Corporation Finance - Office of Chief Counsel (Except for Form 20-F, as to which the Office of International Corporate Finance should be consulted.)

Other Exchange Act Forms

Form 6-K	This report is used by certain foreign private issuers to furnish information: (i) required to be made public in the country of its domicile; (ii) filed with and made public by a foreign stock exchange on which its securities are traded; or (iii) distributed to security holders. The report must be furnished promptly after such material is made public. The form is not considered "filed" for Section 18 liability purposes. This is the only information furnished by foreign private issuers between annual reports, since such issuers are not required to file on Forms 10-Q or 8-K. Interpretive Responsibility: Division of Corporation Finance - Office of International Corporate Finance
Form 8-K	This is the "current report" that is used to report the occurrence of any material events or corporate changes which are of importance to investors or security holders and previously have not been reported by the registrant. It provides more current information on certain specified events than would Forms 10-Q or 10-K. Interpretive Responsibility: Division of Corporation Finance - Office of Chief Counsel
Form 10-K	This is the annual report that most reporting companies file with the Commission. It provides a comprehensive overview of the registrant's business. The report must be filed within 90 days after the end of the company's fiscal year. Interpretive Responsibility: Division of Corporation Finance - Office of Chief Counsel
Form 10-Q	The Form 10-Q is a report filed quarterly by most reporting companies. It includes unaudited financial statements and provides a continuing view of the company's financial position during the year. The report must be filed for each of the first three fiscal quarters of the company's fiscal year and is due within 45 days of the close of the quarter. Interpretive Responsibility: Division of Corporation Finance - Office of Chief Counsel

Exemplo de Caso Abrangente Sobre Ajustes USGAAP e Conversão (*Translation*) de Demonstrações Financeiras

CIA. BRAZILIAN BOOKS

Data		Transação
21/12/1998	1)	Abertura da empresa com R$ 1.000.000 de capital, sendo R$ 120.000 em dinheiro (câmbio R$/US$ 1,20) e o restante a integralizar no prazo máximo de 1 ano.
29/12/1998	2)	Compra de imóvel no valor de R$ 800.000 (valor: 20% Terreno e 80% Edificação) pago em duas parcelas: entrada à vista de R$ 100.000 e parcela de R$ 700.000 pagável em 28/2/99.
29/12/1998	3)	Compra de equipamentos por financiamento bancário no valor de R$ 100.000, pagável em 10 parcelas mensais de R$ 10.000 com juros sobre saldo devedor de 3% ^{a}m. conf. mapa de financiamento.
		Os equipamentos necessitam de acabamento no local de trabalho.
29/12/1998	4)	Integralização em dinheiro no valor de R$ 500.000 (câmbio R$/US$ 1,21).
29/12/1999	5)	Pagamento de parcela de financiamento de equipamentos adquiridos em 29/12/98.
Jan/99	6)	Despesas do mês de janeiro/99 (pré-operação) iguais a R$ 120.000, pagas R$ 90.000 em janeiro/99 e R$ 30.000 pagáveis em Fevereiro/99.
		Os equipamentos foram acabados e instalados até 31/1/99.
1/2/1999	7)	Início das operações (faturamento).
9/2/1999	8)	Integralização de capital em dinheiro no valor de R$ 300.000 (câmbio: R$/US$ 2,00).
28/2/1999	9)	Pagamento de parcela de R$ 700.000 de financiamento de imóvel e pagamento de parcela de financiamento de equipamentos adquiridos em 29/12/98.
Fev/99	10)	Despesas de fevereiro/99 iguais a R$ 450.000, pagas R$ 350.000 em fevereiro/99 e R$ 100.000 pagáveis em março/99. Foram também pagas as despesas a que se refere o item 6.
Fev/99	11)	Faturamento do mês de fevereiro/99 no valor de R$ 500.000, com R$ 400.000 recebidos em fevereiro/99 e R$ 100.000 recebíveis em março/99.
Fev/99	12)	Impostos sobre faturamento = 8,65%, pagáveis no dia 10 do mês subseqüente.
Fev/99	13)	Para simplificação do exemplo, a alíquota de imposto de renda e contribuição social é de 35%.
Pede-se:		
	s)	Elaborar Balanço Patrimonial e Demonstração do Resultado BOOKS
	b)	Efetuar ajustes OFFBOOKS
	c)	Converter Balanço Patrimonial e DRE (considerando a moeda funcional da entidade $)
		A estimativa de inadimplência dos clientes é remota

MAPA DO FINANCIAMENTO DE EQUIPAMENTOS

Data	Amortização do principal	Juros	Parcela paga	Saldo devedor
31/12/1998				100.000
31/1/1999	10.000	3.000	13.000	90.000
28/2/1999	10.000	2.700	12.700	80.000
31/3/1999	10.000	2.400	12.400	70.000
30/4/1999	10.000	2.100	12.100	60.000
31/5/1999	10.000	1.800	11.800	50.000
30/6/1999	10.000	1.500	11.500	40.000
31/7/1999	10.000	1.200	11.200	30.000
31/8/1999	10.000	900	10.900	20.000
31/9/1999	10.000	600	10.600	10.000
31/10/1999	10.000	300	10.300	-

Taxas	R$/US$
31/12/1998	1,21
31/1/1999	1,98
28/2/1999	2,06
Média Jan/99	1,60
Média Fev/99	2,02

Considerar os seguintes prazos de depreciação ou amortização		
	BR	USA
Edificações	25 anos	25 anos
Terrenos	0	0
Equipamentos	5 anos	3 anos
Despesas Diferidas	5 anos	=

Balance Sheet as of December, 31 1998

	R$ Brazilian Books	R$ USGAAP Adjustments	R$ USGAAP	Rate	US$
CEC	520.000		520.000	1,21	4291.752
Receivables	-		-	1,21	-
CURRENT ASSETS	520.000		520.000	1,21	429.752
Property, plant & equipment					
Cost	900.000		900.000	1,21	743.802
(-) Accumulated Depreciation	-		-	1,21	-
FIXED ASSETS	900.000		900.000	1,21	743.802
Pre-Operational Expenses	-		-	1,21	-
DEFERRED ASSETS	-		-	1,21	-
TOTAL ASSETS	1.420.000		1.420.000	1,21	1.173.554
Accounts payable	0		-	1,21	-
Short term debt	800.000		800.000	1,21	661.157
CURRENT LIABILITIES	800.000		800.000	1,21	661.157
Subscriptions received	620.000		620.000	h	513.223
SHAREHOLDERS EQUITY	620.000		620.000	h	513.223
Retained earnings	0		-	1,21	-
Translation adjustments					(826)
NET ASSETS	620.000		620.000	1,21	512.397
LIABILITIES AND NA	1.420.000		1.420.000	1,21	1.173.554

SHAREHOLDERS SCHEDULE	R$ USGAAP	Rate	US$		
12/21/1998	120.000	1,20	100.000		
12/29/1998	500.000	1,21	413.223		
TOTAL REALIZED	620.000		513.223		
TRANSLATION ADJUSTMENTS SCHEDULE R$		Rate = 1,21	Rate = historical	Translation Adjustment	
Translation test					
Net assets	620.000	512.397	513.223	(826)	
Total reported	620.000	512.397	513.223	(826)	

Balance Sheet as of January, 31 1999

	R$ Brazilian Books	R$ USGAAP Adjustments	R$ USGAAP	Rate	US$
CEC	417.000		417.000	1,98	210.606
Receivables	-		-	1,98	-
CURRENT ASSETS	417.000		417.000	1,98	210.606
Deferred Income Tax	-	42.000	42.000	1,98	21.212
Property, plant & equipment					
Cost	900.000	3.000	903.000	1,98	456.061
(-) Accumulated Depreciation	-		-	1,98	-
FIXED ASSETS	900.000	3.000	903.000	1,98	456.061
Pre-Operational Expenses	123.000	(123.000)	-	1,98	-
DEFERRED ASSETS	123.000	(123.000)	-	1,98	-
TOTAL ASSETS	1.440.000	<78.000>	1.362.000	1,98	687.879
Accounts payable	30.000		30.000	1,98	15.152
Short term debt	790.000		790.000	1,98	398.990
CURRENT LIABILITIES	820.000		820.000	1,98	414.141
Subscriptions received	620.000		620.000	h	513.223
SHAREHOLDERS EQUITY	620.000		620.000	h	513.223
Retained earnings	-	(78.000)	(78.000)	h	(48.750)
Translation adjustments					(190.736)
NET ASSETS	620.000	(78.000)	542.000	1,98	273.737
LIABILITIES AND NA	1.440.000	(78.000)	1.362.000	1,98	687.879

SHAREHOLDERS SCHEDULE	R$ USGAAP	Rate	US$	
12/21/1998	120.000	1,20	100.000	
12/29/1998	500.000	1,21	413.223	
TOTAL REALIZED	620.000		513.223	
USGAAP adjustment		R$		
us1 D - Fixed assets		3.000		
SFAS 34 C - Pre-Operational Expenses capitalização de juros		3.000		
us2 D - Operational expenses		120.000		
SOP 98 - 5 C - Pre-Operational Expenses		120.000		
us3 D - Deferred Income taxes		42.000		
SFAS 109 C - Income taxes		42.000		
DEFERRED INCOME TAXES SCHEDULE				
Differences from assets		120.000		
x 35% = IR/CS		42.000		
TRANSLATION ADJUSTMENTS SCHEDULE	R$	Rate = 1,98	Rate = historical	Translation Adjustment
Net assets at the beginning of January 1999	620.000	313.131	513.223	(200.092)
Net Income of January 1999	(78.000)	(39.394)	(48.750)	9.356
Total	542.000	273.737	464.473	(190.736)

Income Statement of JANUARY 1999

	R$ Brazilian Books	R$ USGAAP	R$ USGAAP	Rate	US$
		Adjustments			
Operational expenses	0	(120.000)	(120.000)	1,60	(75.000)
Pre-tax income	0	(120.000)	(120.000)	1,60	(75.000)
(+) Income Taxes (deferred)	0	42.000	42.000	1,60	26.250
Net income	0	(78.000)	(78.000)	1,60	(48.750)

Balance Sheet as of February, 28 1999

	R$ Brazilian Books	R$ USGAAP Adjustments	R$ USGAAP	Rate	US$
CEC	24.300		24.300	2,06	11.796
Receivables	100.000		100.000	2,06	48.544
CURRENT ASSETS	124.300		124.300	2,06	60.340
Deferred Income Tax	630	41.701	42.330	2,06	20.550
Property, plant & equipment					
Cost	900.000	3.000	903.000	2,06	438.350
(-) Accumulated Depreciation	(3.799)	(1.194)	(4.993)	2,06	(2.424)
FIXED ASSETS	896.201	1.806	898.007	2,06	435.926
Pre-Operational Expenses	120.950	(120.950)	-	2,06	-
DEFERRED ASSETS	120.950	(120.950)	-	2,06	-
TOTAL ASSETS	1.142.081	(77.444)	1.064.637	2,06	516.814
Accounts payable	100.000		100.000	2,06	48.544
Taxes payable	43.250		43.250	2,06	20.995
Short term debt	80.000		80.000	2,06	38.835
CURRENT LIABILITIES	223.250		223.250	2,06	108.374
Subscriptions received	920.000		920.000	h	663.223
SHAREHOLDERS EQUITY	920.000		920.000	h	663.223
Retained earnings	(1.169)	(77.444)	(78.613)	h	(49.054)
Translation adjustments					<205.729>
NET ASSETS	918.831	(77.444)	841.387	2,06	408.440
LIABILITIES AND NA	1.142.081	(77.444)	1.064.637	2,06	516.814

SHAREHOLDERS SCHEDULE	R$ USGAAP	Rate	US$
12/21/1998	120.000	1,20	100.000
12/29/1998	500.000	1,21	413.223
02/09/1999	300.000	2,00	150.000
TOTAL REALIZED	920.000		663.223

	SGAAP YTD adjustment	R$
us1	D - Fixed assets	3.000
SFAS 34	C - Pre-Operational Expenses capitalização de juros	3.000
us2	D - Operational expenses	117.950
SOP 98 - 5	C - Pre-Operational Expenses	117.950
us3	D - Depreciation expenses	1.194
MARKET	C - Accumulated depreciation	1.194
PRACTICES	diferença de taxas de depreciação	
us4	D - Deferred Income taxes	41.701
SFAS 109	C - Income taxes	41.701

DEPRECIATION SCHEDULE	R$ BR Cost	R$ US Cost	R$ BR Ac.D.	R$ US Ac. D.
Property & plant	640.000	640.000	2.133	2.133
Equipment	100.000	103.000	1.667	2.861
Total			3.800	4.994
BRGAAP/USGAAP adjustment				1.194

DEFERRED INCOME TAXES SCHEDULE-	
Differences from assets	(119.144)
x 35% = IR/CS	41.701

TRANSLATION ADJUSTMENTS SCHEDULE Translation test	R$	Rate = 2,06	Rate = historical	Acc. Translation Adjustment
Net assets at the beginning of February 1999	620.000	300.971	513.223	(212.252)
Shareholders integralization	300.000	145.631	150.000	(4.369)
Net Income of January 1999	(78.000)	(37.864)	(48.750)	10.886
Net Income of February 1999	(613)	(298)	(304)	6
Total	841.387	408.440	614.170	(205.729)

Income Statement of February 1999

	R$ Brazilian Books YTD	R$ OffBooks Adjustments	R$ USGAAP Feb YTD	R$ USGAAP Jan YTD	R$ USGAAP Feb Month	Rate	US$ Month Feb	US$ YTD Jan	US$ YTD Feb
Sales	500.000		500.000		500.000	2,02	247.525		247.525
(-) Sales taxes	(43.250)		(43.250)		(43.250)	2,02	(21.411)		(21.411)
Net Sales	456.750		456.750		456.750	2,02	226.114		226.114
(-) Operational expenses	(452.050)	(117.950)	(570.000)	(120.000)	(450.000)	2,02	(222.772)	(75.000)	(297.772)
(-) Depreciation	(3.799)	(1.194)	(4.993)		(4.993)	2,02	(2.472)		(2.472)
Operational Income	901	(119.144)	(118.243)	(120.000)	1.757	2,02	870	(75.000)	(74.130)
(-) Interest Expenses	(2.700)		(2.700)		(2.700)	2,02	(1.337)		(1.337)
Pre-tax ncome	(1.799)	(119.144)	(120.943)	(120.000)	(943)	2,02	(467)	(75.000)	(75.467)
(+) Deferred income tax	630	41.701	42.330	42.000	330	2,02	163	26.250	26.413
Net income (losses)	(1.169)	(77.444)	(78.613)	(78.000)	(613)	2,02	(304)	(48.750)	(49.054)

Referências

AL HASHIM, Dhia D.; ARPAN, Jeffrey S. *Internacional dimensions of accounting*. 3rd. ed. Boston: PWS-KENT, 1988.

AVILA, Marcos Zahler; OLIVEIRA, Marcelo Aparecido Martins de. *Conceitos e técnicas de controles internos de organizações*. São Paulo: Nobel, 2002.

BEUREN, Ilse Maria. Conceituação e contabilização dos custos de oportunidade. FIPECAFI, São Paulo, *Caderno de Estudos*, nº 8, abr. 1993.

BOOTH, Rupert. Performance management: making it happen. *Management Accounting*, London, Nov. 1997.

BOULDING, Kenneth E. *A reconstruction of economics*. New York: John Wiley & Sons, 1950.

CATELLI, Armando. (Coord.). *Controladoria: uma abordagem da gestão econômica – GECON*. 2ª ed. São Paulo: Atlas, 2001.

CHOI, Frederick, D.S.; FROST, Carol Ann; MEEK, Gary K. *International accounting*. 3rd. ed. Upper Saddle River: Prentice Hall, 1999.

COOK, Mark. Performance appraisal and true performance. *Journal of Managerial Psychology*, New York v. 10, nº 7, 1995.

COPELAND, Tom; KOLLER, Tim; MURRIN, Jack. *Avaliação de empresas*. São Paulo: Makron Books, 2000.

CRC-SP. *Contabilidade no contexto internacional*. São Paulo: Atlas, 1997.

CVM. *Deliberação nº 29, de 5 de fevereiro de 1986.*

DAMODARAN, Aswath. *Finanças Coprorativas.* Porto Alegre: Bookman, 2002.

EDWARDS, Edgar O.; BELL, Philip W. *The theory and measurement of business income.* 7th. ed. Berkeley: University of California Press., 1973.

FRANCO, Hilário. *A evolução dos princípios contábeis no Brasil.* São Paulo: Atlas, 1988.

GASLENE, Alain; FENSTERSEIFER, Jaime E.; LAMB, Robert. *Decisões de investimentos da empresa.* São Paulo: Atlas, 1999.

GITMAN, Lawrence J. *Princípios de administração financeira essencial.* São Paulo: Bookman, 2002.

GRAY, Sidney J.; SALTER, Stephen B.; RADEBAUGH, Lee H. *Global accounting and control, a managerial emphasis.* John Danvers: Wiley & Sons, 2001.

HALL; LIEBERMAN. *Microeconomia: princípios e aplicações.* São Paulo: Thomson, 2003.

HALACHMI, Arie; BOUCKAERT, Gert. *Performance measurement, organizational technology and organization design.* Work Study, London, v. 43, nº 3, 1994.

HENDRIKSEN, Eldon S. *Accounting theory.* 4rd. ed. Irwin, Homewood, 1982.

HENDRIKSEN, Eldon S.; BREDA, Michael F. Van. *Teoria da Contabilidade.* São Paulo: Atlas 1999.

HORNGREN, Charles T; FOSTER, George; DATAR, Srikant M. *Contabilidade de custos.* 11ª ed. São Paulo: Pearson Education, 2004.

HRONEC, Steven M. *Sinais vitais: usando medidas do desempenho da qualidade, tempo e custo para traçar a rota para o futuro de sua empresa.* São Paulo: Makron Books, 1994.

IJIRI, Yuji. *The foundation of accounting measurement – a mathematical, economic and behavior inquiry.* Cambridge Prentice Hall, Englewood Cliffs, 1967.

Referências

IUDÍCIBUS, Sergio de. *Teoria da Contabilidade*. 2ª ed. Atlas; São Paulo, 1987.

_____. *Mensuração em Contabilidade*. In: ANUÁRIO 98, ANEFAC Nossos Associados. ANEFAC. dez. 1997.

_____. *Contabilidade gerencial*. São Paulo: Atlas, 1998.

KAPLAN, Robert S. *Advanced management accounting*. Cambridge, Prentice-Hall, Englewood Cliffs. 1982.

KAPLAN, Robert S.; NORTON, David P. *A estratégia em ação*: balanced sorecard. Rio de Janeiro: Campus, 1997.

LAWRENCE, Steve. *International accounting*. London: International Thomson Business Press, 1996.

MAKSY, Bernstein. *Cases in financial statement reporting and analysis*. 2nd. ed. Irwin, Burr Ridge, 1994.

MARTINS, Eliseu. *Contabilidade de custos*. São Paulo: Atlas, 2003.

MASCAVE, Stephen A.; SINNKIN, G. Mark BAGRANOFF; Nancy A. *Sistemas de informações contábeis*. São Paulo: Atlas, 2002.

MATARAZZO, Dante C. *Análise financeira de balanços*. São Paulo: Atlas, 2001.

MENDES, Judas Tadeu. *Economia: fundamentos e aplicações*. São Paulo: Pearson Education, 2004.

MOSIMANN, Clara Pellegrinello; FISCH, Sílvio. *Controladoria*. 2ª ed. São Paulo: Atlas, 1999.

MOST, Kenneth S. *Accounting theory*. 2nd. ed. Grid, Columbus, 1982.

NASH, J. F.; ROBERTS, M. B. *Accounting information systems*. New York: MacMillan, 1984.

NOBES, Christopher; PARKER, Robert. *Comparative international accounting*. 3rd. ed. Cambridge: Prentice Hall, 1991.

PATON, William A.; LITTLETON, Ananias Charles. *An introduction to corporate accounting standards*. Chicago, AAA, 1940.

PELEIAS, Ivam Ricardo. *Falando sobre controle interno*. Boletim IOB THOMSON – Controladoria e Gestão, São Paulo, ano XXXVI, 2. semana, dez. 2002.

RADEBAUGH, Lee H.; GRAY, Sidney J. *International accounting and multinational enterprises*. 4th. ed. New York: John Wiley & Sons, 1997.

RICCIO, Edson Luiz. *Uma contribuição ao estudo da contabilidade como sistema de informação*. 1989. Tese (Doutorado) – Universidade de São Paulo, São Paulo, 1989.

ROSSETI, José Paschoal. *Introdução à economia*. 17ª ed. São Paulo: Atlas, 1997.

SAMUELSON, Paul A. *Introdução à análise econômica I*. Rio de Janeiro: Agir, 1975.

SCHEIN, Edgard H. *Psicologia organizacional*. Rio de Janeiro: Prentice-Hall do Brasil, 1982.

SCHMIDT, Paulo. *História do pensamento contábil*. Porto Alegre: Bookman, 2000.

SHAPIRO, Alan C. *Multinational financial management*. 6th. ed. Upper Saddle River, Prentice Hall, 1999.

SINK, D. Scott; TUTTLE, Thomas C. *Planejamento e medição para a performance*. Rio de Janeiro: Qualitymark, 1993.

STERLING, Robert R. *Theory of the measurement of enterprise income*. Houston: Scholars Book, 1979.

WATTS, Ross L.; ZIMMERMAN, Jerold L. *Positive accounting theory*. Prentice Hall, Englewood Cliffs, 1986.

WELSCH, Glenn Albert; SHORT, Daniel G. *Fundamentals of financial accounting*. 5th. ed. Irwin, Homewood, 1987.

WILLIAMS – GAAP GUIDE – MILLER 2004 - Miller, New Yok, 2004.

WILEY – GAAP 2004 – Wiley, New York, 2004.

SITES DE INTERESSE

ENTIDADE	ENDEREÇO ELETRÔNICO
AICPA	www.aicpa.org
American Accounting Association	www.rutgers.edu/Accounting/raw/aaa
FASB	www.fasb.org
DELLOITTE	www.iasplus.com
MARPE Treinamento	www.marpet.com.br
Securities and Exchange Commission	www.sec.gov